C000257972

Llanddwyn i Bwll Ceris (Y Swellies)

Rhan o siart cyfredol cwmni Imray sy'n cyhoeddi yn arbennig ar gyfer yr yachtsman. Yn wahanol i fap cyffredin fe welwch fod siart Môn yn dangos dyfnderoedd y dŵr a manylion y gwahanol arwyddion sy'n bwysig i longwyr.

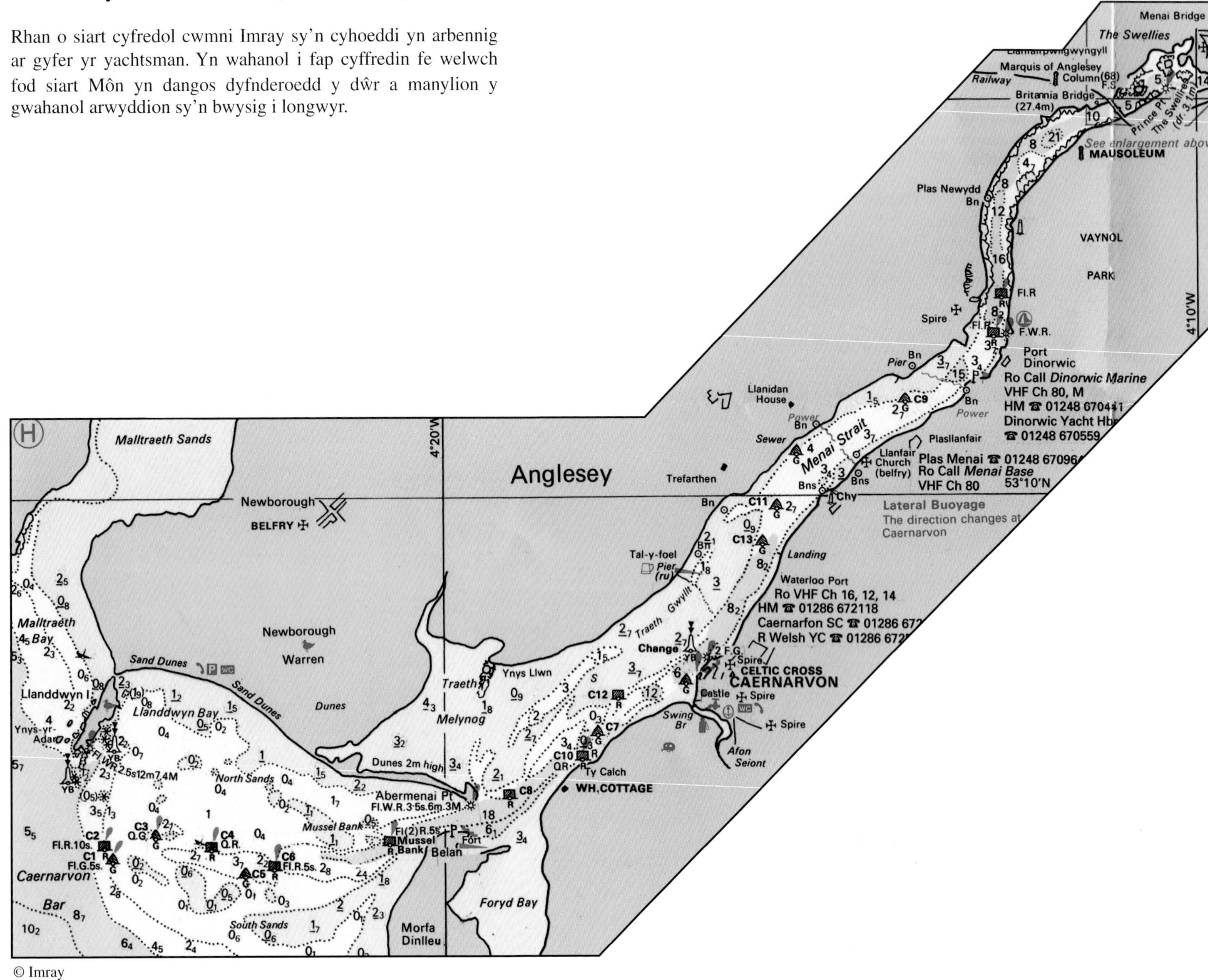

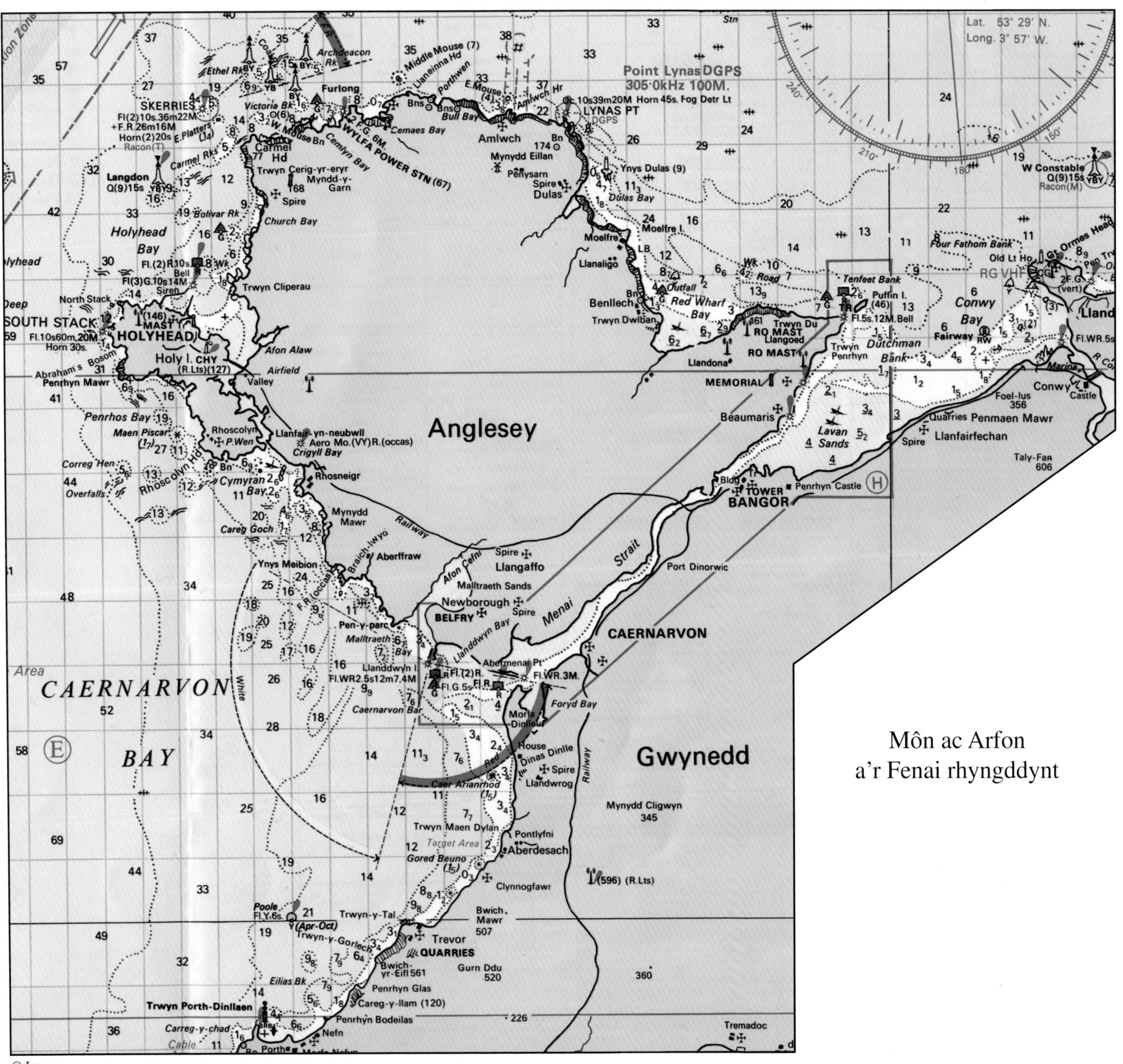

Môn ac Arfon
a'r Fenai rhyngddynt

Y
FENAI

Y FENAI

GWYN PARI HUWS

Ffotograffiaeth: TERRY BEGGS

Goleuni'r Harbwr

Ar y gorwel fe'i gwelaf – a'r ingoedd
Rhyngom a anghofiaf;
Am ei lewych mi lywiaf,
O fewn ei gylch hafan gaf.

Capten John Alun Jones

GOMER

Argraffiad cyntaf – 2002
Ail-argraffiad – 2003

ISBN 1 84323 084 4

Dymuna'r cyhoeddwyr gydnabod cymorth Cyngor Llyfrau Cymru.

Argraffwyd yng Nghymru gan
Wasg Gomer, Llandysul, Ceredigion

Rhagymadrodd

Mae'n debyg fod y rhan fwyaf o Gymry'n gwybod am y Fenai: llaweroedd wedi ei gweld wrth ymweld â'r ardal, ac eraill yn ei gweld yn ddyddiol wrth groesi'n ôl a blaen rhwng Môn ac Arfon neu wrth ddilyn y ffyrdd cyfagos. Mae rhai, wrth gwrs, yn ddigon ffodus i fyw o fewn golwg iddi, ac eraill yn byw yn ddigon agos i fynd i'w golwg yn gyfleus – ond yn y diwedd dim ond ychydig iawn, yn frodorion neu'n ymwelwyr, sydd wedi cael y fraint o dramwyo'r Fenai ar ei hyd a gweld ei chymeriad a'i golygfeydd.

Cynnig yw'r llyfr hwn, felly, i ddangos amrywiaeth a gogoniant y Fenai trwy gyfres o luniau a dynnwyd o'r glannau neu o gwch, gan dywys y darllenydd efo'r llanw o'r gorllewin i'r dwyrain.

Er mai 'Afon' Menai a ddywedwn ar lafar, nid afon mohoni mewn gwirionedd ond culfor sy'n cysylltu Bae Caernarfon yn y naill ben efo Bae Conwy yn y pen arall. Na, nid yw'n afon; mae'n rhan o'r môr, ei dŵr yn hallt, a'r llanw'n llifo ar ei hyd.

Cychwynnwn y daith ger Ynys Llanddwyn; dyma'r olygfa a welir o gwch wrth nesáu at yr hafan honno neu wrth anelu am y Bar i gychwyn i mewn am y Fenai ei hun. Hyd yn oed os nad ydych yn hoff o'r dŵr nac o forio, rydym yn mawr obeithio y cewch bleser o ddilyn cwrs yr 'afon' brydferth ac unigryw hon.

Is nef nid oes un afon
Lased a hardded â hon.

Anhysbys

CYNNWYS

O Ynys Llanddwyn i Gaernarfon

Goleudy, meddech chi – ond ble mae'r golau?

Mae tri pheth yn gwneud mynedfa orllewinol y Fenai yn un anodd i longwyr. Y cyntaf yw'r glannau isel o boptu'r aber sy'n brin o nodweddion gweledol i sefydlu safle llong, yr ail yw'r ffaith fod y sianel dŵr dwfn yn newid ei chwrs o flwyddyn i flwyddyn, a'r trydydd yw effaith beryglus y gwyntoedd arferol o'r de-orllewin ar y bar.

Ar yr ochr ogleddol, fodd bynnag, mae penrhyn Llanddwyn, un o ychydig nodweddion daearyddol yr ardal y gellir anelu amdano wrth ddod i mewn o'r môr, a lle y ceir ychydig o gysgod mewn tywydd garw. I helpu llongwyr i'w adnabod o bellter fe godwyd tŵr gwyn arno rywbryd yn y ddeunawfed ganrif ac yn 1824 codwyd un arall gryn dipyn mwy. Dyma'r ddau dŵr a welwn yno heddiw. Mae'n annhebygol fod golau ar y tŵr mawr pan godwyd ef gyntaf, ond mae cofnod fod golau arno o 1846 pryd yr addaswyd yr adeilad i gynnwys ystafell i'r llusern. Yn groes i'r drefn arferol, ar y llawr isaf y gosodwyd y golau gan fod y graig yn caniatáu uchder digonol yn y fan honno. Yn y llun gyferbyn fe welir to yr ystafell lusern ynghlwm wrth ochr gwaelod y tŵr.

Mae'r tŵr mawr yn parhau'n bwysig i'r rhai sy'n dod o'r môr tua'r Fenai yng ngolau dydd ac mae i'r tŵr bach ei bwysigrwydd hefyd gan mai ar ben hwnnw mae'r golau erbyn hyn – llusern drydanol sy'n cael ei chyflenwad o olau'r haul.

O feddwl am yr holl felinau gwynt a fu ym Môn, hawdd deall sut y daeth yr adeiladwyr i ddilyn patrwm tebyg pan ddaethant i godi'r ddau dŵr ar Landdwyn – mae'n debyg mai adeiladwyr melinau oeddynt!

Gwynt a môr ym Mhorth Tŵr Mawr, Llanddwyn.

Golygfa dawel ar Landdwyn dros draeth Porth y Clochydd a chraig Ynys y Clochydd i gyfeiriad Dinas Dinlle.
Mae'n siŵr fod yr enwau'n adlais o gyfnod Eglwysig yr ynys.

Croes er cof am dri di-enw, ac adfeilion eglwys Santes Dwynwen yn y cefndir.

Darn o graig hynafol iawn sy'n dod i'r wyneb ym mhen deheuol Llanddwyn. Mae'n debyg ei bod yn dyddio o 570 miliwn o flynyddoedd yn ôl ond bod ei chyfansoddiad gwreiddiol wedi'i newid yn llwyr gan gemegau morwrol. Enghraifft o Graig yr Oesoedd!

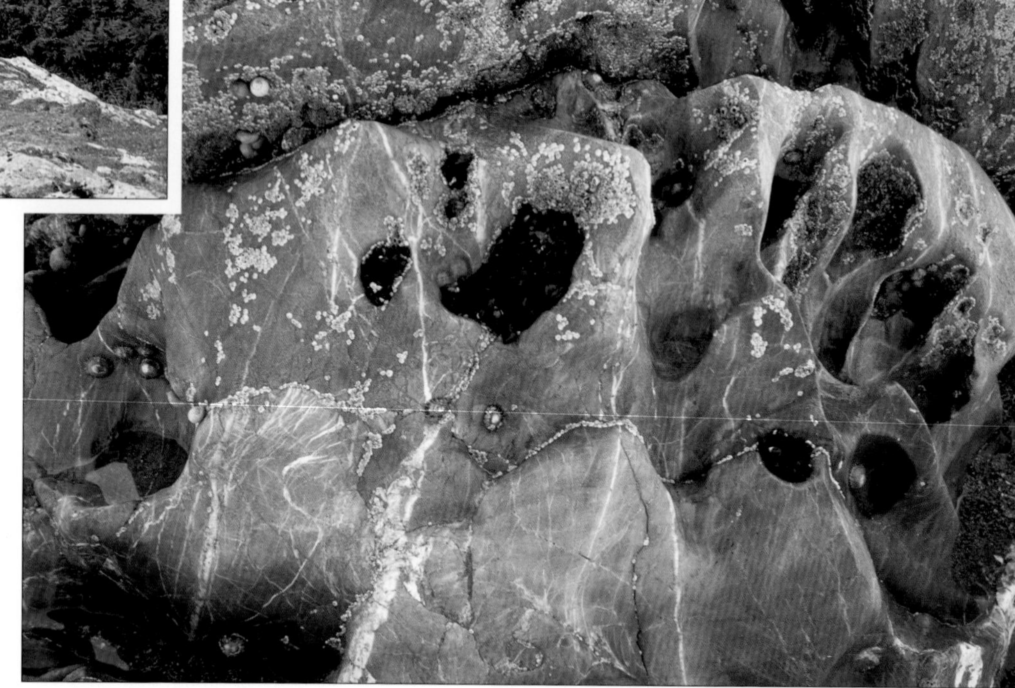

Y bythynnod a thraeth Porth y Peilotiaid, Llanddwyn, ar ddiwrnod hyfryd o haf.

Yn y cyfnod a welodd sefydlu'r goleudy ar Ynys Llanddwyn (a'r angen am rai i ofalu amdano) roedd yna hefyd alw cynyddol gan feistri llongau am beilotiaid i'w harwain dros y bar i mewn i'r Fenai.

I gwrdd â'r gofynion hyn, fe sefydlwyd gwasanaeth ffurfiol gan Ymddiriedolaeth Harbwr Caernarfon pryd yr adeiladwyd y bythynnod i gartrefu'r rhai oedd yn edrych ar ôl y golau yn ogystal â gwasanaethu fel peilotiaid. Fe barhaodd y trefniant tan yr Ail Ryfel Byd.

Cwch pysgota o Borth Penrhyn yng nghyffiniau bar Caernarfon yn codi cregyn gleision ifanc i'w trawsblannu ar Draeth Lafan ym mhen dwyreiniol y Fenai. Yr Eifl yw'r mynydd yn y cefndir.

Bwi coch y *Mussel Bank* rhyw filltir y tu allan i Abermenai. Mae'n debyg i wely'r môr yn y fan hyn fod yn un ffrwythlon am gregyn gleision ers blynyddoedd lawer, ac fe'i nodwyd dan yr un enw (ond wedi'i sillafu *Muscle*!) gan Lewis Morris yn ei siart o'r ardal yn 1748. (Siart 3)

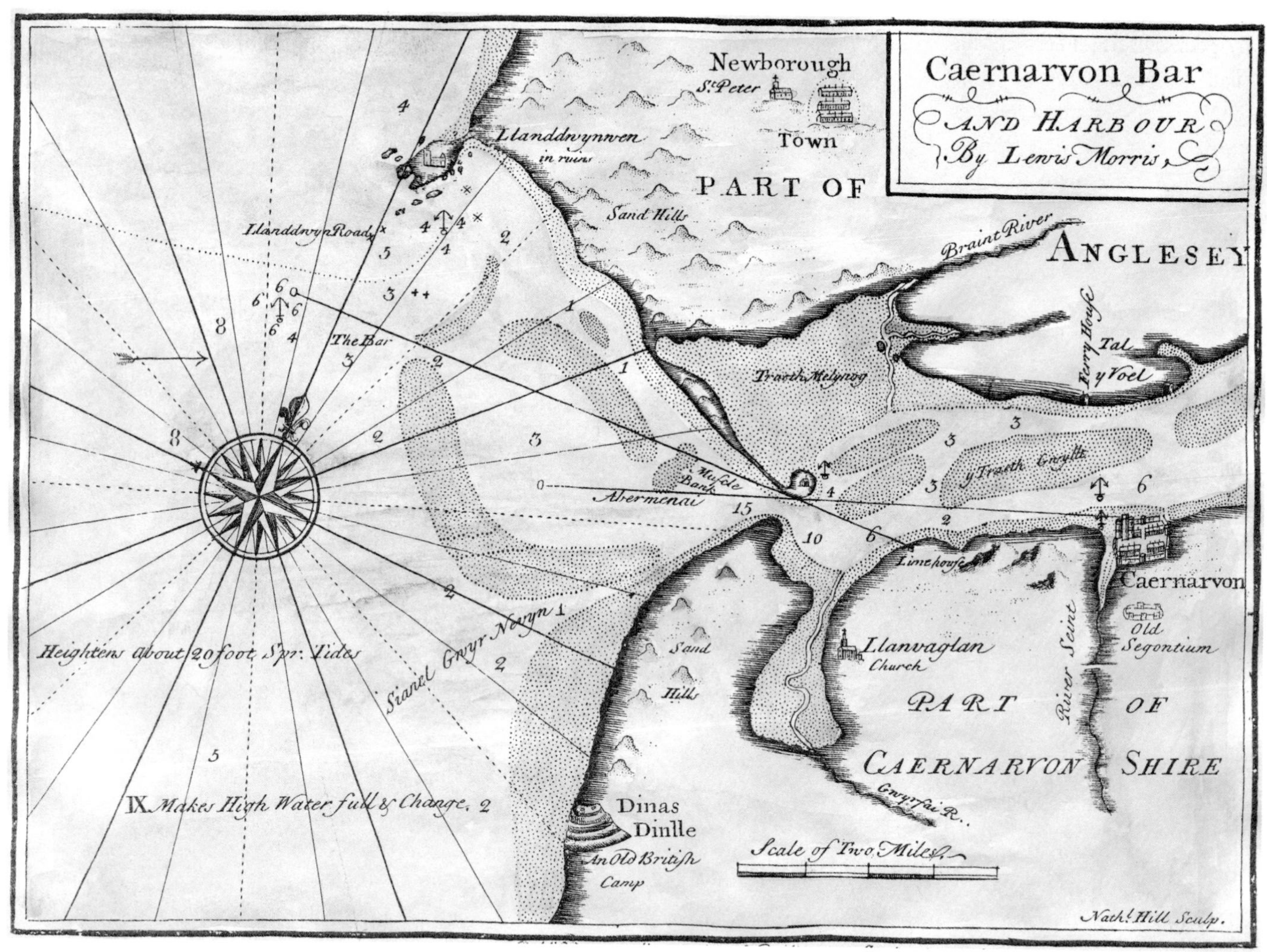

Siart 3: Er bod Morrisiaid Môn yn amlwg yn hanes y 'pethe' yng Nghymru yn ystod y ddeunawfed ganrif, prin iawn yw'r ymwybyddiaeth o allu a gwaith Lewis Morris, y brawd hynaf, fel syrfëwr môr. Ei siart manwl o Far Caernarfon oedd y cyntaf o'r ardal i'w gyhoeddi, a difyr sylwi ar 'Sianel Gwŷr Nefyn', sef y ffordd fyrraf rhwng Nefyn a'r Fenai – llwybr môr sy'n cael ei ddilyn hyd heddiw gan y rhai cyfarwydd.

Er bod rhai enwau lleol yn Gymraeg, e.e. Abermenai a Traeth Gwyllt, yn Saesneg y ceir y cyfarwyddiadau 'technegol', e.e. "IX *makes high water full and change*". Y rheswm yw mai i longau Prydeinig y bwriadwyd y siartiau mwyaf, a Saesneg oedd y brif iaith weithredol ar eu bwrdd. Yn yr iaith honno hefyd y cyhoeddwyd yr holl lawlyfrau a siartiau morwrol.

Mae'r enghraifft a ddyfynnwyd, gyda llaw, yn cyfleu i'r llongwr mai am naw o'r gloch y bore y bydd pen llanw ar ddyddiau lleuad llawn a lleuad newydd. Ceir mwy o eglurhad am hyn y nes ymlaen yn y llyfr.

Edrych draw i wlad Llŷn o'r twyni rhwng Llanddwyn ac Abermenai.

Mae tri chrug yr Eifl yn amlwg, a Garn Fadryn yn y pellter. Wrth fynd heibio'r fan hyn mewn llong neu gwch, daw rhywun yn ymwybodol fod glannau Môn ac Arfon yn closio at ei gilydd i ffurfio adwy gul Abermenai.

Ôl gwynt ar dywyn tua Abermenai, a golwg o'r moresg sy'n clymu'r tywod a'i arbed rhag gwasgaru'n llwyr.

Trilliw y Tywyn (*Viola Tricolor*) – yn ei gynefin.

Ffrancwyr mewn gwirionedd oedd y Normaniaid dan arweiniad Edward 1af a ddaeth o'r dwyrain i ymosod ar y wlad ac i godi'r cestyll mawrion yn y drydedd ganrif ar ddeg. Difyr yw meddwl mai i amddiffyn yn erbyn rhagor o Ffrancwyr – o'r gorllewin y tro hwn – y datblygwyd caer Belan gan yr Arglwydd Newborough tua diwedd y ddeunawfed ganrif a dechrau'r bedwaredd ganrif ar bymtheg. *Abermenai Barracks* oedd enw'r datblygiad yn y lle cyntaf, ond erbyn 1840 roedd yr adeiladau fwy na heb yn eu ffurf bresennol a'r enw *Belan Fort* wedi'i fabwysiadu. Er bod y perygl gwreiddiol wedi hen gilio erbyn hynny fe barhaodd y safle yn un delfrydol i amddiffyn aber y Fenai ac fe fu milwyr a gynnau mawrion yno yn ystod yr Ail Ryfel Byd.

Clychau'r Eos (neu Glychau Bangor) *campanula Rotundifolia*, yn tyfu dan drwynau'r gynnau.

Un o dyrrau cornel caer Belan.

Yr adwy fewnol a'r cloc haul drosti.

Amser naturiol yw'r amser a geir gan y cloc haul a rhaid cywiro'r amser hwnnw i gael GMT. Mae angen cyfrif tua 17 munud yn ychwanegol oherwydd y gwahaniaeth hydred rhwng Llundain a Belan, a hefyd hyd at chwarter awr, yn ôl y dyddiad, i wneud yn iawn am symudiad afreolaidd yr haul. Roedd tabl yn uno'r ddau ffactor i'w weld yn y gaer pan symudwyd cynnwys yr adeiladau i Amgueddfa Forwrol Lerpwl yn 1986.

Golygfa tua'r de-ddwyrain o ben doc Belan, efo'r Wyddfa yn y pellter.

Golau Abermenai. I long yn llywio i mewn i afon Menai mae hwn yn dangos golau gwyn dros y sianel ddofn a golau coch dros y dŵr bas. O gadw o fewn ystod y golau gwyn, felly, dylai llong fedru dod i mewn drwy Abermenai yn ddiogel. O'r fan hyn roedd fferi Abermenai yn croesi i'r tir mawr am rai canrifoedd tan tua chanol y bedwaredd ganrif ar bymtheg.

Yr hen Dŷ Powdwr (*magazine*) yw'r adfail.

Dacw'r golau eto, i'w weld ar y chwith, a'r *Queen of the Sea* yn troi i fynd â'i chriw o ymwelwyr yn ôl i gei Caernarfon. 'Y gap', gyda llaw, yw'r enw lleol ar fwlch Abermenai.

Angorfa Abermenai ar brynhawn o haf, a thref Caernarfon yn y pellter.

I'r angorfa yma, yng nghysgod y twyni, y daeth llawer o longau hwyliau bychain yn yr oes a fu, a hefyd y llongau a fu'n dadlwytho ffrwydron i'r *magazine* gerllaw. Yr adeilad hwnnw, wedi ei godi ymhell o'r dref er mwyn diogelwch, oedd y storws i'r powdwr ac ati a ddefnyddid yn y chwareli, ac oddi yno fe'i cludid bob yn ychydig yn ôl yr angen. Er bod hwn yn llecyn cysgodol o ran gwynt, mae angen bod yn ofalus yma gan fod y llanw a'r trai yn llifo'n gryf iawn trwy'r angorfa. Tu draw i'r cychod mae ymyl Traeth Melynog.

Ôl troed y gylfinir (meddan nhw!) ar draeth lleidiog afon Braint – ond ai ôl un yn mynd a dŵad sydd yma, ynteu dau wedi cyfarfod am ymgom?

Man delfrydol i godi abwyd! Tywod lleidiog ar fin afon Braint ger Traeth Melynog.

Machlud ar Draeth Melynog.

Merlod ar gwningar Niwbwrch. Mae'r gwningar yn ffinio ar draethau Llanddwyn ac ar Draeth Melynog ac yn rhan o warchodle natur dan ofal y Cyngor Cefn Gwlad. Am resymau amgylcheddol y dewiswyd merlod i bori'r tir.

Un o flodau gwylltion twyni Niwbwrch.
'Pig yr aran waedlyd' (*geranium sanguineum*).

Mae afon Braint yn tarddu ar Fynydd Llwydiarth rhwng Pentraeth a Llanddona ar ochr ddwyreiniol Ynys Môn, ond oherwydd gogwydd y tir mae'n llifo ddeuddeg milltir i'r gorllewin cyn cyfarfod â'r Fenai yma ar fin Traeth Melynog, o fewn golwg i Gaernarfon.

Ôl gwynt o'r de-orllewin ar lwyni drain.

Rhaid dilyn glan y môr o Draeth Melynog i ddod i'r llecyn hyfryd hwn. Doc preifat ydyw sy'n perthyn i Blas Penrhyn, a oedd yn eiddo yn y bedwaredd ganrif ar bymtheg i Humphrey Owen, ac yna'n gartref i'w fab, Capten William Humphrey Owen. Bu'r ddau yn eu tro yn flaenllaw fel perchnogion llongau yng Nghaernarfon.

'Tŷ Calch' erbyn heddiw, ond *Lime House* ar siart Lewis Morris (siart 3) yn 1748! I long neu gwch yn dod i mewn o'r môr ac wedi gadael bwi coch y *Mussel Bank* i'r chwith, does ond angen cadw Tŷ Calch yn y golwg, ac yn syth ar y blaen, i ddilyn llwybr diogel trwy'r 'gap' i mewn i'r Fenai ei hun.

Hen Eglwys Llanfaglan – yn edrych dros y Fenai tuag at Niwbwrch.

Castell Caernarfon – o'r tu blaen . . .

. . . ac o'r tu cefn!

O Gaernarfon i Bort Dinorwic

Castell Caernarfon a'i lun yn wyneb llonydd afon Seiont.

Segontium Terrace yn edrych dros yr hen Gei Llechi.

'Ceir ar y cei lle bu llechi,
a chychod pleser lle bu'r llongau.'

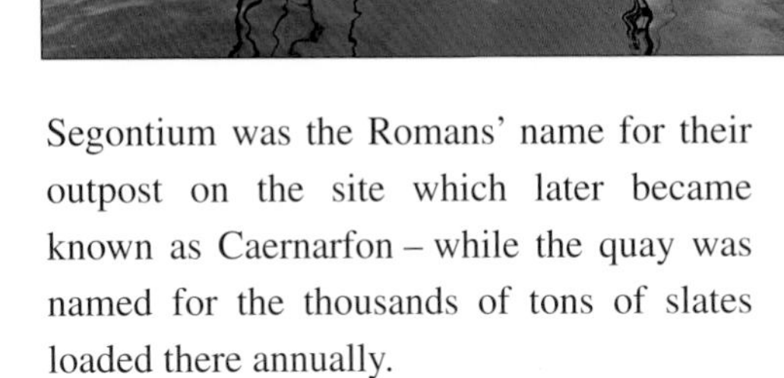

Segontium was the Romans' name for their outpost on the site which later became known as Caernarfon – while the quay was named for the thousands of tons of slates loaded there annually.

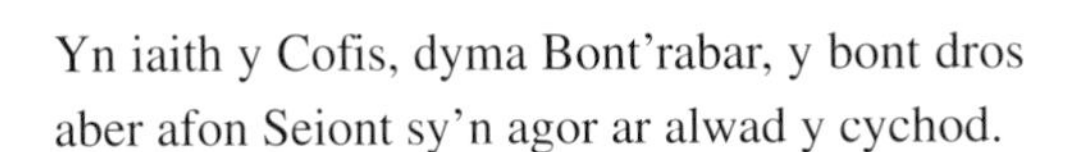

Yn iaith y Cofis, dyma Bont'rabar, y bont dros aber afon Seiont sy'n agor ar alwad y cychod.

Yr olygfa o bont yr aber.

Er gwaetha'r enw, ni fydd y *Floating Restaurant* yn nofio nes bydd y llanw wedi ennill am ddwy awr neu dair eto. Mae to Llys y Goron i'w weld dros y mur i'r dde ond tu allan i'r wal y mae tafarn yr *Anglesey* a fu'n cynnig croeso parod i'r ymwelwyr o Fôn ers talwm (ac i nifer o'r trigolion lleol hyd heddiw!).

Wyneb tafarn yr *Anglesey* – a dwy ffenestr y celloedd yn hen orsaf yr Heddlu i'w gweld ar y dde.

Doc Victoria, Caernarfon.

Sefydlwyd y doc yn yr 1870au i ganiatáu dadlwytho llongau nad oedd lle iddynt ar y Cei Llechi oherwydd prysurdeb y llwytho yn y fan honno. Y rhan gyntaf o gynllun enfawr oedd Doc Victoria ond tua'r un adeg fe ddatblygodd gwasanaeth rheilffyrdd yr ardal, ac arweiniodd hynny at newid yng ngofynion trafnidiaeth ac at chwalu'r cynllun mawr. Bu'r doc yn ddigon prysur tan ar ôl yr Ail Ryfel Byd, serch hynny, ond daeth segurdod llwyr iddo yn y man. Fe'i prynwyd gan y Cyngor Sir i greu hafan i gychod pleser. Yn ychwanegol i'r cychod sy'n cael eu cadw yno yn barhaol, daw rhai cannoedd bob blwyddyn i aros noson neu ddwy, i fwynhau'r ardal odidog a chymeriad yr hen dref.

Mae drws tanddwr yn adwy'r doc sydd yn agor tua thair awr cyn pen llanw pan fydd dŵr y Fenai tu allan wedi codi i'r lefel a geir tu mewn. Wedi rhyw dair awr o drai fe gaeir y drws eto i gadw tua chwe throedfedd o ddyfnder dŵr tu mewn, fel bod y cychod yn y doc yn parhau i nofio.

'Change' – wel ie, ond newid beth yn union? Meddwl? Dillad? Lle? – wel y disgrifiad gorau fyddai newid cyweirnod, am y rheswm canlynol.

Yn y dyfroedd culion ar gyrion porthladdoedd, mae bwïau wedi'u gosod i ddangos lle mae'r dŵr dyfnaf, rhai gwyrdd eu lliw a phigog eu ffurf ar yr ochr dde (*starboard hand*) wrth nesáu at borthladd, a rhai coch eu lliw a'u pennau'n wastad ar yr ochr chwith (*port hand*). Wrth ymadael mae'n amlwg y byddant i'w gweld fel arall. Mewn aberoedd ac afonydd cyffredin mae'r drefn yn hollol eglur, ond nid afon mo'r Fenai; mae iddi ddwy fynedfa – ac os oes bwïau gwyrdd ar yr ochr dde wrth fynd i mewn yn y naill ben fel y llall, yna mae'n amlwg bod rhaid newid y drefn rhywle yn ystod ei hyd. Gyferbyn â Chaernarfon mae'r safle hwnnw ers blynyddoedd – a dyna yw arwyddocâd y *change buoy*.

Ychydig iawn, iawn o eiriau morwrol Cymraeg sydd ar gael. Ar ôl oes y llongau syml yn y canrifoedd cynnar, daeth y datblygiadau technegol o wledydd Sgandinafia, Ewrop a Lloegr ac yn eu sgil, wrth reswm, daeth yr eirfa forwrol sydd i raddau helaeth yn un rhyngwladol. Mae'r geiriau *port* a *starboard* yn enghreifftiau da ac maent yn hollol dderbyniol gan longwr Cymraeg ei iaith. Yn yr iaith 'Saesneg' yma y cyhoeddir y rhan fwyaf o siartiau môr y byd a'r llyfrau morwrol niferus, ac i sicrhau diogelwch mae'n amlwg yn bwysig bod y termau a'r disgrifiadau'n ddealladwy i'r rhan fwyaf o longwyr yn y mwyafrif o longau a phorthladdoedd

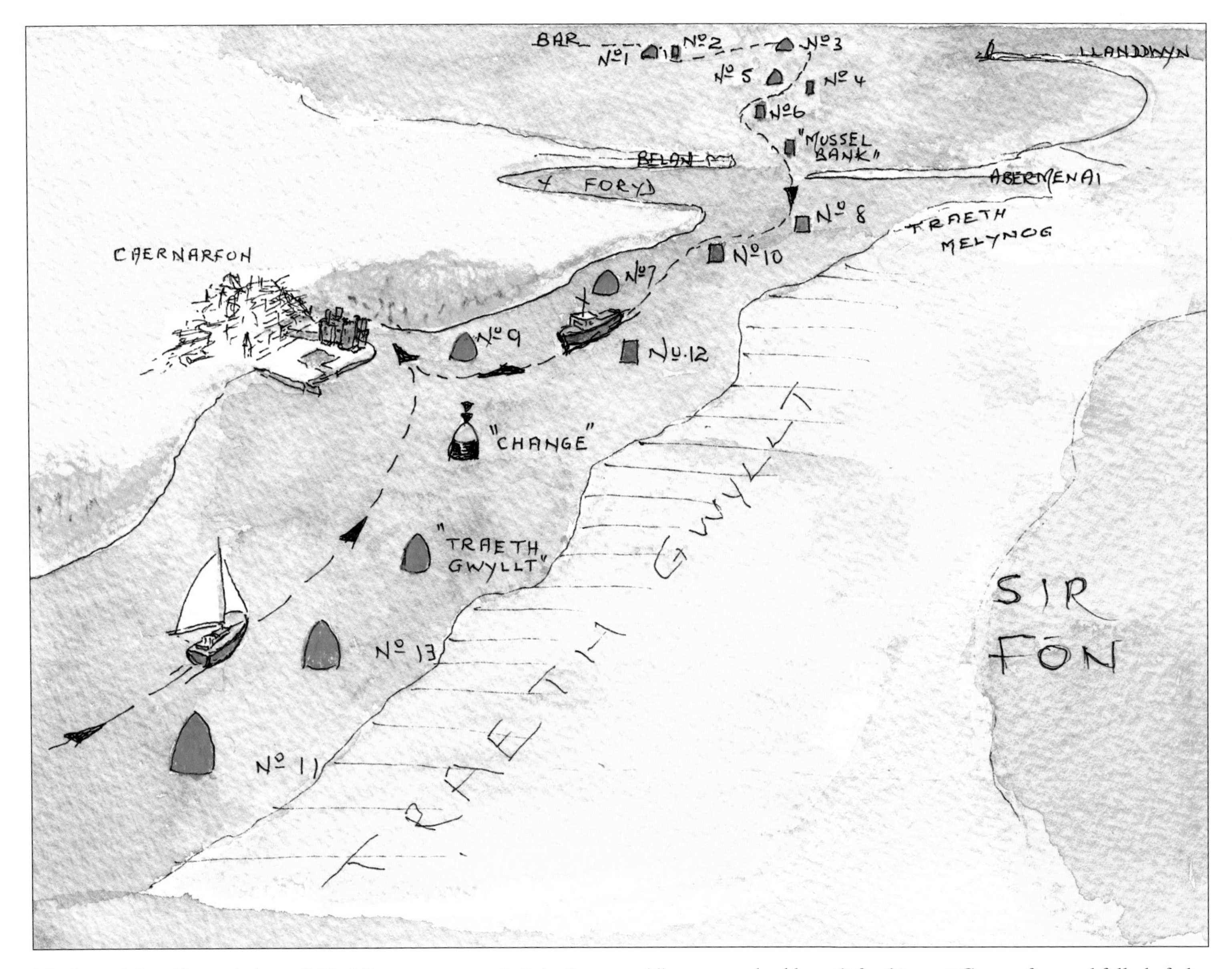

Mae'r cwch hwylio yn dod o gyfeiriad Bangor ac yn cadw'r bwïau gwyrddion ar yr ochr dde wrth fynd tuag at Gaernarfon, ond felly hefyd y cwch modur sy'n dod i mewn o'r môr o'r cyfeiriad arall.

Ped âi'r cwch hwylio ymlaen tua'r môr, yna wedi pasio'r *change buoy* byddai rhaid newid drosodd a chadw'r bwïau cochion ar ei ochr dde. Yn yr un modd pe byddai'r cwch modur yn mynd ymlaen tua Bangor, byddai rhaid iddo yntau hefyd newid o gadw'r gwyrddion ar yr ochr dde i'w cadw ar y chwith ar ôl pasio'r *change buoy*.

Traeth Gwyllt – ond yn ddof ar ddistyll!

Nid oes sicrwydd ynglŷn â tharddiad y disgrifiad *gwyllt*. Mae ffiniau'r traeth, a'i uchdwr, yn amrywio o flwyddyn i flwyddyn yn dilyn stormydd y gaeaf a difyr yw sylwi ar y newid bob Gwanwyn – hwyrach mai dyma'r eglurhad. Ond *gwyllt* hefyd yw'r disgrifiad o ddŵr y Fenai yn torri ar draws y traeth ar adeg o wyntoedd cryfion, yn enwedig pan fydd gwynt o'r de-orllewin yn cyfarfod trai llanw mawr. Mae'n enw hynafol beth bynnag y tarddiad.

Hen lanfa fferi Tal y Foel – ar ochr Sir Fôn o'r Fenai gyferbyn â Chaernarfon.

Yr hen lanfa eto, efo Caernarfon rhyw filltir tu draw.

Hon oedd y fferi bwysicaf ym mhen gorllewinol y Fenai yn y bedwaredd ganrif ar bymtheg a hanner cyntaf yr ugeinfed ganrif; daeth y gwasanaeth i ben yn 1953 yn dilyn y cynnydd a fu yn nifer y ceir preifat ar ôl yr Ail Ryfel Byd.

Hyd nes y sefydlwyd y gwasanaeth bysiau cyhoeddus yn rhan gyntaf yr ugeinfed ganrif, roedd fferi Tal y Foel i dref Caernarfon yn llawer mwy cyfleus i lawer o drigolion de-orllewin Môn na'r milltiroedd o ffyrdd troellog i Langefni neu Borthaethwy. Fe gludid llawer o gynnyrch ffermydd yr ardal i'w werthu ym marchnad Caernarfon, ac o'r cyfeiriad arall deuai'r anghenion dyddiol a nwyddau a brynid yn siopau'r dref. Nid yr amaethwyr a'u teuluoedd yn unig a ddefnyddiai'r fferi ond y cyhoedd yn gyffredinol, gan gynnwys y plant a groesai'n ddyddiol i fynd i ysgol ramadeg Caernarfon.

Y Foel – Ynys Môn

O 'hen' Dan y Foel rhyw filltir i'r gorllewin y rhedai'r fferi yn wreiddiol, ond erbyn canol y bedwaredd ganrif ar bymtheg fe symudwyd y gwasanaeth i'r fan hyn, ac fe ddaeth yr enw hefyd. O'r adeg hyn ymlaen, fferi Tal y Foel oedd y pwysicaf ym mhen gorllewinol y Fenai ac fe'i gwasanaethid gan stemar o 1849 ymlaen. Hwyrach mai'r doc a welir yn y llun oedd y lanfa gyntaf, ond efo cynnydd ym maint y cychod fferi, a'r diffyg dyfnder dŵr ar drai, roedd yn rhaid cael y *jetty* a welir yn y ddau lun blaenorol.

Y Sw Môr

Dyma atyniad poblogaidd iawn ar fin y Fenai lle daw rhai miloedd o ymwelwyr bob blwyddyn. Yn ychwanegol at ddangos gwahanol bysgod a chreaduriaid eraill sy'n byw yn y môr, mae'r sefydliad hefyd yn magu cimychiaid i'w 'trawsblannu'.

Yma hefyd y prosesir Halen Môn, sy'n boblogaidd gan gogyddion enwocaf y byd erbyn hyn!

Bwyd môr go iawn – cynnyrch gwelyau wystrys Menai Oysters, ar lan y Fenai gerllaw'r Sw.

Trefarthen – ffarm a phlasty hardd yn wynebu'r Fenai.

Edrych o Arfon i Fôn dros y teras o dai ar fin y dŵr yn Waterloo Port a thros Draeth Gwyllt.

Ac yn ôl . . . edrych o Fôn i gyfeiriad Waterloo Port yn Arfon.

(ystyriwch amynedd y ffotograffydd yn disgwyl nes cael un bilidowcar ar ben bob postyn!)

Adfeilion yr hen Abaty, Plas Llanidan, Môn.

O hen dŷ cychod y Plas y datblygwyd y bwthyn hyfryd hwn, sy'n wynebu bryniau Arfon o fin y Fenai. Tan tua diwedd y bymthegfed ganrif, y fan hon (neu fan gyfagos) oedd glanfa'r fferi rhwng Llanidan a Lanfairisgaer.

Hen Eglwys Llanfairisgaer. Yn yr Oesoedd Canol roedd Llanfairisgaer yn rhan o ofalaeth Prior Beddgelert, ac mae posibilrwydd mai ef felly oedd deiliad fferi Llanidan.

Plas Menai, sydd yn union drws nesaf i'r hen eglwys yn y llun blaenorol. Mae'n un o ganolfannau Cyngor Chwaraeon Cymru, lle y dysgir trin pob math o gychod pleser. Tybed ai dyma 'eglwys' un o'n crefyddau newydd?

Un o gychod bach y ganolfan – a'i enw'n amlwg rhag ofn iddo fynd ar goll!

Hen dŷ fferi a bythynnod Moel y Don, gyferbyn â'r Felinheli.

Rhywle yn y rhan hon o'r Fenai y croesodd y Rhufeiniaid i Fôn tua 60 OC ac yn y fan hyn (wedi'i symud o Lanidan, yn ôl pob tebyg) y sefydlwyd fferi, dan awdurdod y Goron, tua 1500 OC. Fe barhaodd dan yr awdurdod hwnnw tan 1935 ac wedi hynny bu yng ngofal y Cyngor Sir tan 1958 pan ddaeth y gwasanaeth i ben.

Carfan arbennig o deithwyr rheolaidd ar y fferi yn ystod rhan ddiwethaf y bedwaredd ganrif ar bymtheg a rhan gyntaf yr ugeinfed ganrif oedd y dynion â'u cartrefi ym Môn a weithiai yn chwarel fawr Dinorwig yn Llanberis. Deuent ar y fferi i'r Felinheli yn gynnar ar fore Llun ac oddi yno ar y trên bach i'r chwarel lle byddent yn byw mewn *barracks* tan y Sadwrn canlynol cyn cael troi am adref ar y fferi unwaith eto.

Ysgerbwd hen long ym Moel y Don. Un o longau hwyliau afon Tafwys (*Thames barge*) y bwriadwyd ei haddasu yn gartref ar y dŵr yn wreiddiol – ond mae'n amlwg i'r cynllun fethu!

Y Felinheli o Foel y Don.

Haidd adeg cynhaeaf o flaen Eglwys Llanedwen – gwaith dau funud o gerdded o lan y Fenai. Dyma'r eglwys leol i'r Marcwis a'i deulu o Blas Newydd. Mae gweld yr haidd yn atgoffa rhywun o'r llysenw ar Fôn – mam Cymru – gan gymaint a gynhyrchid ar yr ynys yn yr Oesoedd Canol – digon i fwydo gweddill Cymru yn ôl y sôn!

Cychod pleser yn clwydo dros y gaeaf yn iard gychod Dinas. Ar y safle yma yr adeiladwyd nifer o longau yn ystod ail hanner y bedwaredd ganrif ar bymtheg, yn eu mysg y llong goed fwyaf i'w hadeiladu yng Ngwynedd, sef yr *Ordovic*, yn 1877.

I'r rhai sy'n gyrru drwy'r pentref i fannau eraill, ymddengys mai datblygiad hirgul yn ôl y patrwm mewn ardaloedd diwydiannol yw'r Felinheli, ond o'r dŵr fe welir bod lled ac uchder i'r pentref yn ogystal â hyd.

Clwb Hwylio y Felinheli – canolfan boblogaidd i hwylwyr yr ardal.

Golwg gaeaf ar lan môr y Felinheli. O'r lanfa yn y tu blaen y rhedai'r fferi i Foel y Don y soniwyd amdani ar dudalen 38.

Yng nghanol y llun mae giât allanol y doc; mae'r llanw'n isel a bydd yn ddwy awr neu dair cyn iddo ennill digon i ganiatáu ei hagor.

Y Felinheli oedd yr enw gwreiddiol ar y pentref ond, wedi creu'r porthladd i lwytho llechi chwarel Dinorwig, Llanberis, yr enw Port Dinorwic a ddefnyddid gan amlaf ym myd llongau a'r fasnach lechi.

Erbyn heddiw fe ailsefydlwyd Felinheli fel yr unig enw swyddogol ar y pentref, er bod 'Port Dinorwic' yn parhau'n enw ar y doc a'i gyffiniau.

O Bort Dinorwic i Borthaethwy

Tu mewn i'r doc. Haul gaeaf ar gychod sy'n disgwyl yr haf!

Dŵr y doc yn gorlifo i'r Fenai. Trwy'r giatiau hyn y cychwynnodd rhai miloedd o fordeithiau llongau, rhai hwyliau a rhai stêm, gan gludo cynnyrch llechi chwarel Dinorwig i borthladdoedd pell ac agos.

Edrych yn ôl o dir y Faenol, sydd ar lan Caernarfon i'r dŵr dros Foel y Don, sydd ym Môn, i gyfeiriad y de-orllewin. Mae'r Eifl i'w gweld yn y cefndir a phen gogleddol Traeth Gwyllt yn ymddangos ar y dde yn y pellter.

Doc a thŷ cychod gyferbyn â Phlas Newydd, yn hesb ar waelod llanw mawr. ‘Tŷ Glo’ oedd yr hen enw, a’r casgliad yw mai yma, cyn oes y rheilffyrdd, y deuai llongau bychain efo’u llwythi o lo i ystad y Faenol.

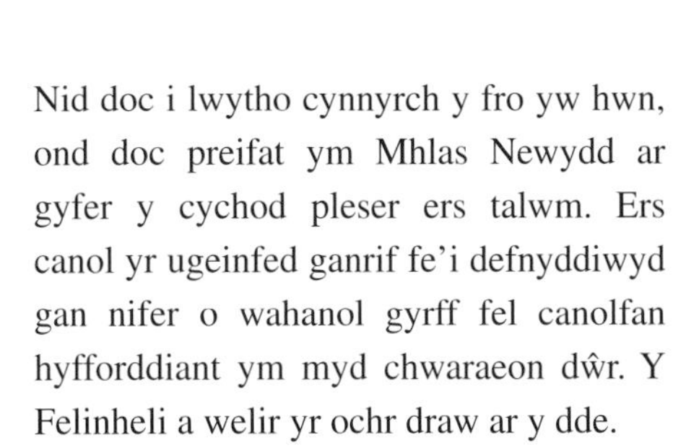

Nid doc i lwytho cynnyrch y fro yw hwn, ond doc preifat ym Mhlas Newydd ar gyfer y cychod pleser ers talwm. Ers canol yr ugeinfed ganrif fe’i defnyddiwyd gan nifer o wahanol gyrff fel canolfan hyfforddiant ym myd chwaraeon dŵr. Y Felinheli a welir yr ochr draw ar y dde.

Beth bynnag yw eich barn am le uchelwyr yn ein cymdeithas, rhaid cydnabod harddwch llawer o'r plastai a'r gerddi a godwyd ganddynt yn yr oes a fu; dyma dalcen deheuol Plas Newydd gyda phont Britannia yn y pellter. Heddiw mae'r Plas yn eiddo i'r Ymddiriedolaeth Genedlaethol, er ei fod yn parhau i fod yn gartref i'r Marcwis presennol.

Pwll Fanogl – Ynys Môn.

Bwthyn yr artist enwog Kyffin Williams sydd i'w weld ar y chwith, a'r hen warws a ffatri ar y dde. Ar ddechrau'r ugeinfed ganrif roedd y llecyn yn llawn prysurdeb gyda llongau'n dadlwytho nwyddau siop, glo ac anghenion eraill y gymdeithas leol, gan lwytho hefyd gynnyrch yr ardal gan gynnwys cig moch wedi'i halltu a margarîn a wnaed yn y ffatri.

Mae dŵr dwfn yn y rhan hon o'r Fenai, ac yn 1976 – mewn safle digon agos i'r man lle tynnwyd y llun hwn – daeth chwilotwyr tanddwr o Adran Eigioneg y Brifysgol ym Mangor o hyd i bentwr o lechi ar y gwaelod. Roedd ffurf y pentwr yn awgrymu mai llwyth llong a suddodd oedd y llechi, er nad oedd nemor ddim ôl o'r llong wedi goroesi. Roedd maint a ffurf y llechi'n anghyffredin iawn, a'r ddamcaniaeth yw mai cynnyrch cynnar iawn oeddent – hwyrach o tua'r unfed ganrif ar bymtheg.

Mewn llecyn diarffordd ar fin y dŵr y tu isaf i Blas Llanfair ym Môn, cododd y Llynghesydd Arglwydd Clarence Paget – perchennog y Plas ar un adeg, a cherflunydd amatur brwdfrydig – y golofn hon i goffáu Nelson.

Rhyfedd iddo ei godi mewn lle mor anghysbell i'r cyhoedd, ac nid mor amlwg â hynny i longwyr hyd yn oed, gan fod y llongau'n tueddu i gadw at ochr bellaf y sianel. Fe ddaeth o werth ymarferol dros gyfnod, beth bynnag, gan i'r awdurdodau osod arwydd gwyn ar godiad tir ymhellach draw, mewn safle lle roedd llinell ddychmygol o'r arwydd, a thros ben y cerflun, yn dangos cwrs diogel i longau wrth ddod heibio Carreg Giniog – craig guddiedig yn y dŵr ar ochr y tir mawr.

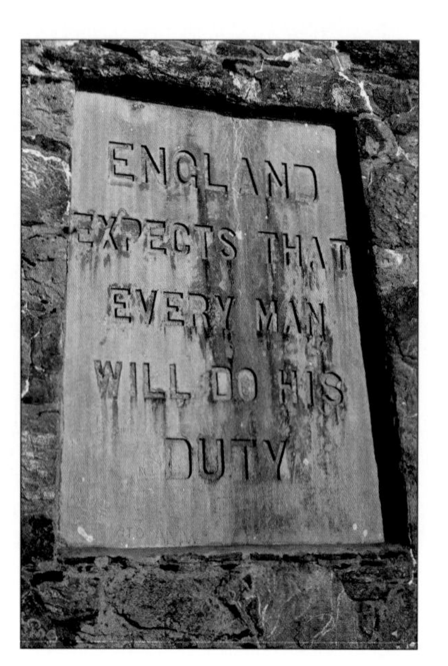

Deunydd dadl i genedlaetholwyr?!

Y dŵr mor llonydd â'r dyn.

Eglwys y Santes Fair – yr ail o'r un enw ar yr un safle – a'r llan a roddodd yr enw i Blas Llanfair gerllaw. Wedi i'r Plas, ar un adeg, fod yn gartref i'r Llyngesydd Arglwydd Clarence Paget – y cerflunydd brwd – fe ddygwyd y cysylltiad morwrol ymlaen ar ddechrau'r Ail Ryfel Byd pan ddaeth yn gartref i'r *Indefatigable*, y sefydliad i hyfforddi llongwyr ifanc.

Fel y bu i hen deulu'r Plas, Eglwys y Santes Fair oedd eglwys leol y sefydliad hwnnw nes ei gau yn 1995.

Fe osodwyd y ffenestr liw arbennig hon er cof am y swyddogion a'r hogiau o'r *Indefatigable* a fu'n mynychu'r eglwys dros gyfnod o hanner canrif.

Golygfa ogoneddus o'r bont o lan y dŵr y tu isaf i Blas Llanfair – yn gynnar iawn ar fore braf o haf. Ond o ble daeth yr enw? Yng nghanol y lli mae craig a elwir 'Britannia Rock' (gweler y siart ar t. 53) sydd yn sylfaen i golofn ganol y bont, ac mae'n sicr mai o'r graig honno, a'i phwysigrwydd i'r fenter, y deilliodd yr enw i'r bont ei hun. Er mai cyd-ddigwyddiad ydoedd, mae'n debyg na fedrai'r awdurdodau, yng nghanol oes y Frenhines Victoria, wella ar yr enw a gododd yn naturiol.

Ond nid dyna'r hanes i gyd. Yr enw Cymraeg ar y graig, sydd i'w weld ar fap swyddogol a gyhoeddwyd adeg codi'r bont, yw Carreg Frydan – a'r un enw a welir mewn nodyn gan Lewis Morris yn 1748. Un eglurhad ar yr enw yw carreg neu graig sy'n gysylltiedig â rhediad byrlymus dŵr neu lanw. Dyna ddisgrifiad penigamp o'r graig gan fod y llanw, a'r trai yn arbennig, yn ffrydio'n gryf amdani. Hawdd dychmygu felly mai canlyniad camddehongli neu gamgyfieithu'r hyn a glywid ar lafar, a olygodd i'r *Frydan* fynd yn *Frydain* ac o hynny i *Brydain, Britain* a *Britannia.*

Wedi'i chodi gan Robert Stephenson yn 1850 i gario'r rheilffordd yn unig, fe'i haildrefnwyd yn 1970 wedi tân difrifol a ddifrododd diwbiau haearn ei chyfansoddiad gwreiddiol. Mae'r bont hefyd yn ffurfio ffin orllewinol Pwll Ceris (y *Swellies* gan y Saeson), rhan enwog o'r Fenai sy'n ymestyn o'r fan hyn am filltir hyd at Bont y Borth. Credir mai o enw arweinydd lleol yn y chweched ganrif y cafwyd yr enw Ceris, ond rhaid cyfaddef bod yr enw Saesneg – a ddaw'n wreiddiol o'r gair *swallow* – yn cyfleu natur y Pwll dipyn gwell na'r Gymraeg!

Ar ddiwrnod braf o haf gall ymddangos yn llecyn hynod ond, mewn tywydd garw, mae'n ddigon bygythiol ac, yn wir, ar rai adegau'n mae ei amgylchiadau'n medru bod yn beryglus i gychod sy'n ceisio ei dramwyo.

Welwch chi lun yr hen bont fel adlewyrchiad yn y dŵr? Mae'r ffotograffydd yn honni bod y llun i'w weld ar noson lleuad llawn! Tybed . . .

Darn o'r tiwb gwreiddiol sydd wedi ei gadw am resymau hanesyddol. Yn anffodus nid yw mewn safle amlwg iawn ond gellir ei weld wedi dilyn y ffordd gul i lawr o Dreborth i gyfeiriad y Fenai ar ochr ddeheuol y bont.

Un o'r pâr o lewod sy'n gwarchod llwybr y rheilffordd y naill ben a'r llall o'r bont. Am y rhain y dywedodd y Bardd Cocos:

> Dau lew tew, heb ddim blew,
> dau'r ochor yma a dau'r ochor drew!

Pwll Ceris

Cyn mynd lawer ymhellach i'r dwyrain, dylid ystyried nodweddion arbennig y Pwll fel y'u gwelir mewn rhan benodol o *Admiralty chart* y Fenai (siart 4, t. 53). Hyd yn hyn, y perygl mwyaf i longau a chychod yw'r dŵr bas tuag at lannau neu draethau'r Fenai, ond wedi pasio Pont Britannia mae'r sefyllfa'n newid yn llwyr. Mae'r brif sianel trwy'r Pwll yn un gul, rhwng glan môr creigiog y tir mawr ar y naill law a chreigiau geirwon y Cribiniau a Charreg y Pwll ar y llall.

Yn ychwanegol at yr ynysoedd a'r creigiau – gweladwy a chuddiedig – sy'n rhwystrau amlwg i symudiadau llongau, mae natur a chyflymder lli'r teitiau ac, ar adegau, y gwyntoedd cryfion o amrywiol gyfeiriadau, yn gallu peri trafferth. Mae culni cymharol Pwll Ceris yn achosi cynnydd enbyd yng nghyflymdra'r lli: ar rai adegau mae cymaint â metr o wahaniaeth yn lefel wyneb y dŵr rhwng y naill ben a'r llall, ac o ganlyniad mae'r lli'n medru rhedeg cymaint ag wyth *knot* neu fwy. Hyd yn oed ar deitiau bychain mae'r cyflymdra'n cyrraedd pum *knot* ac mae'n amlwg bod rhaid amseru'n ofalus iawn. Oni bai fod peiriant pwerus iawn gan gwch neu long, rhaid tramwyo'r Pwll yn ystod cyfnod tawel y slac pan fydd y lli yn newid cyfeiriad. Ar deitiau bychain bydd y slac yn para am dri chwarter awr, ond ar adeg teitiau mawrion nid yw'n parhau am fwy nag ugain munud fan bellaf.

Mae cyfieithiad o hen ddogfen Lladin i'r Saesneg yn darllen fel hyn, ac y mae cyn wired heddiw ag yr oedd yn yr hen amser:

> *In that arm of the see that departeth between this island Mon and North Wales is a swelowe that draweth to schippes that seileth and sweloweth hem yn, as doth Scylla and Charybdis – therefore we may nouzt seile by this swalowe but slily at the full see .*

Hynny yw, ni ddylid cychwyn trwy'r Pwll ond yn ofalus iawn ac ar slac pen llanw. Mae modd i gychod bychain fynd trwodd ar slac y distyll hefyd, mewn egwyddor, ond ychydig sy'n mentro gwneud hyn.

Er gwaethaf y peryglon, fodd bynnag, mae i'r Pwll rai nodweddion deniadol iawn, gan gynnwys Ynys Gored Goch. Am ganrifoedd perthynai'r Ynys, a'r hawl i'r pysgod a ddelid yn y gored, i Esgobaeth Bangor, ac enw un Esgob cynnar oedd 'Madog Goch'. Felly fe'i gelwid yn 'Ynys Gored Madog Goch', a thalfyriad yw'r enw presennol. Fe werthwyd yr Ynys gan yr Esgobaeth yn 1888, ond fe barhaodd y bysgodfa am hanner canrif wedyn.

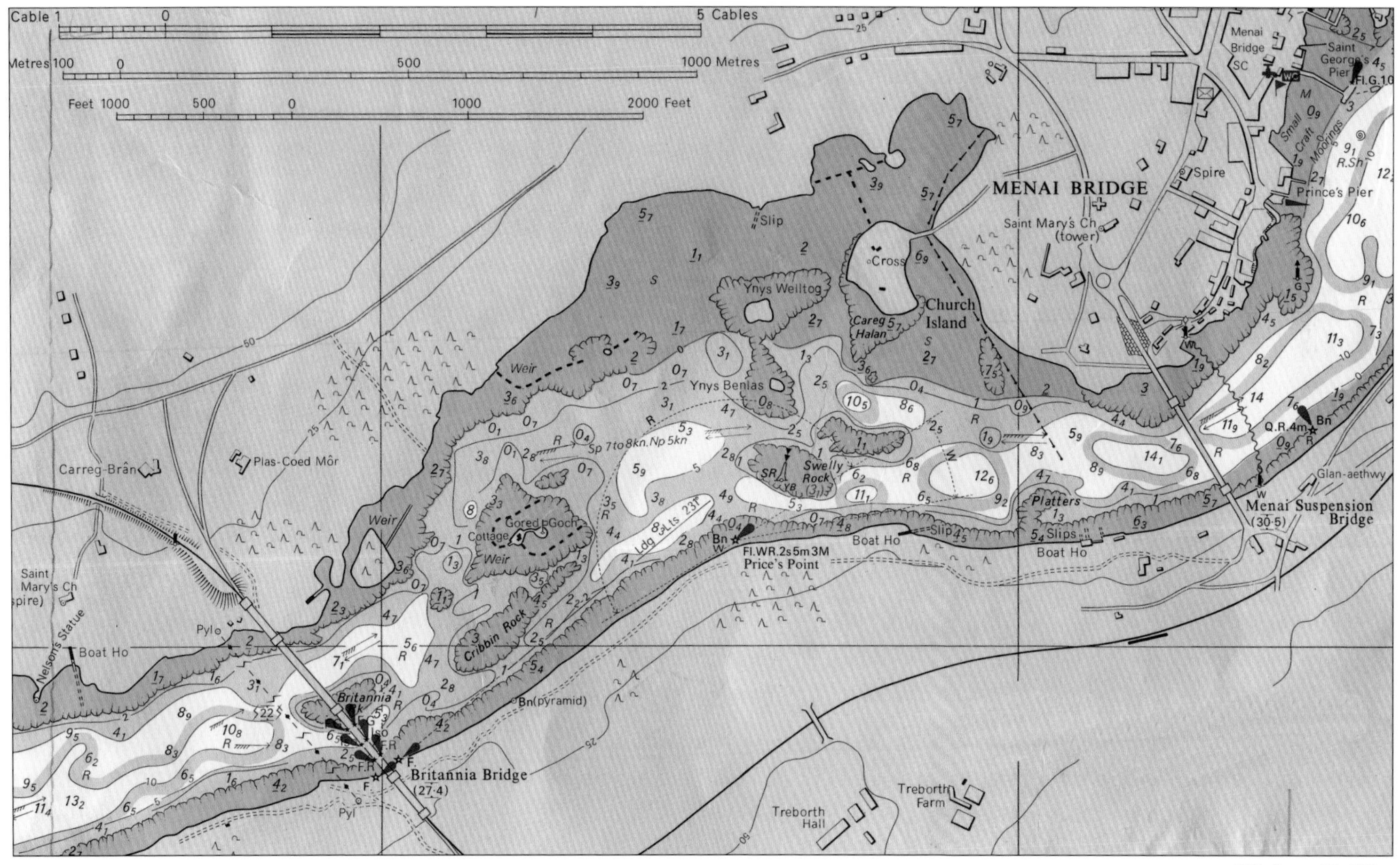

© Hydrographic Office

Siart 4: Rhan o *Admiralty Chart* 1464, 'Menai Strait'.

Lluosog 'Llanw' yw 'Teitiau'!

Ni ellir dilyn symudiadau dŵr y Fenai, nac yn wir hynt y llongau bychain a'r cychod sy'n ei thramwyo, heb gael rhyw ddealltwriaeth o'r teitiau, ac felly dyma gynnig eglurhad syml.

Atyniad y lleuad, yn fwy na dim, sy'n achosi llanw a thrai, a'i symudiadau hi sy'n cyfrif nid yn unig fod amser pen llanw yn hwyrach bob dydd, ond bod uchder y llanw'n amrywio. Ar ddyddiau lleuad llawn a lleuad newydd, h.y. bob pythefnos, mae'r llanw'n codi i'w lefel uchaf ac yn gostwng i'r distyll isaf – yr hyn a elwir 'teitiau mawrion' – ond pan mae'r lleuad ar ei chwarter neu dri chwarter, mae ei heffaith yn llai ac fe geir 'teitiau bychain' pan nad yw'r llanw'n codi, na'r trai yn gostwng, lawn cymaint.

Ar adeg teitiau mawrion mae cyflymdra'r lli hefyd yn llawer cryfach nag ar adeg teitiau bychain, ac mae hyn yn agwedd bwysig iawn mewn dyfroedd culion fel y Fenai.

Ymhob safle gwahanol ar yr arfordir mae pen llanw ar ddyddiau lleuad llawn a lleuad newydd yn digwydd ar amser sefydlog. Er enghraifft, tua Llanddwyn mae'n digwydd am chwarter wedi naw, ac ym Mhenmon am hanner awr wedi deg (yn ôl amser naturiol mae hyn, h.y. amser cloc haul, nid GMT!). Bob dydd wedyn mae amser pen llanw rhyw hanner can munud yn hwyrach nes cyflawni'r cylch amser cyfan erbyn y lleuad llawn neu'r lleuad newydd nesaf.

Mae'r teitiau ar arfordir Cymru yn dilyn patrwm cyffredinol sy'n bodoli rhwng y wlad hon ac Iwerddon, gan lifo i'r gogledd am chwe awr wrth lenwi, cyn troi a llifo i'r de dros chwe awr y trai. Mae rhan o'r lli mawr sy'n symud i fyny wrth i'r llanw godi yn gwahanu i lenwi Bae Caernarfon ac i mewn i'r Fenai heibio Llanddwyn. Mae'n symud ymlaen wedyn tua'r dwyrain a heibio Bangor nes cyfarfod â'r rhan arall o'r llanw newydd tua Biwmares.

Mae'r rhan hon o'r llanw wedi troi o amgylch Sir Fôn i lenwi Bae Lerpwl a Bae Conwy yn ogystal â throi tuag at agoriad dwyreiniol y Fenai – ac wrth gwrs, gan ei bod wedi trafaelio'n bellach ar hyd arfordir Môn, mae'n cyrraedd y Fenai ym Mhenmon awr a mwy wedi i'r rhan gyntaf gyrraedd Llanddwyn. Dyna paham mae amser pen llanw yng Nghaernarfon dros awr ynghynt nag ym Miwmares.

Er bod y lli trwy'r Fenai o'r gorllewin wedi cyrraedd Biwmares cyn cyfarfod â'r lli newydd o'r dwyrain, unwaith y mae wedi gwneud hynny mae'n newid ei gyfeiriad yn llwyr ac yn troi'n ôl i'r gorllewin; y canlyniad mwyaf trawiadol yw fod lefel y dŵr ym Mhwll Ceris rhwng y pontydd yn parhau i godi am awr a hanner wedi i'r lli newid ei gyfeiriad.

Rhwng cyfeiriad a chryfder y lli, felly, ac amserau pen llanw a distyll, hawdd gweld pa mor ddylanwadol yw'r teitiau ar symudiad unrhyw gwch neu long (neu bysgodyn) ar y Fenai.

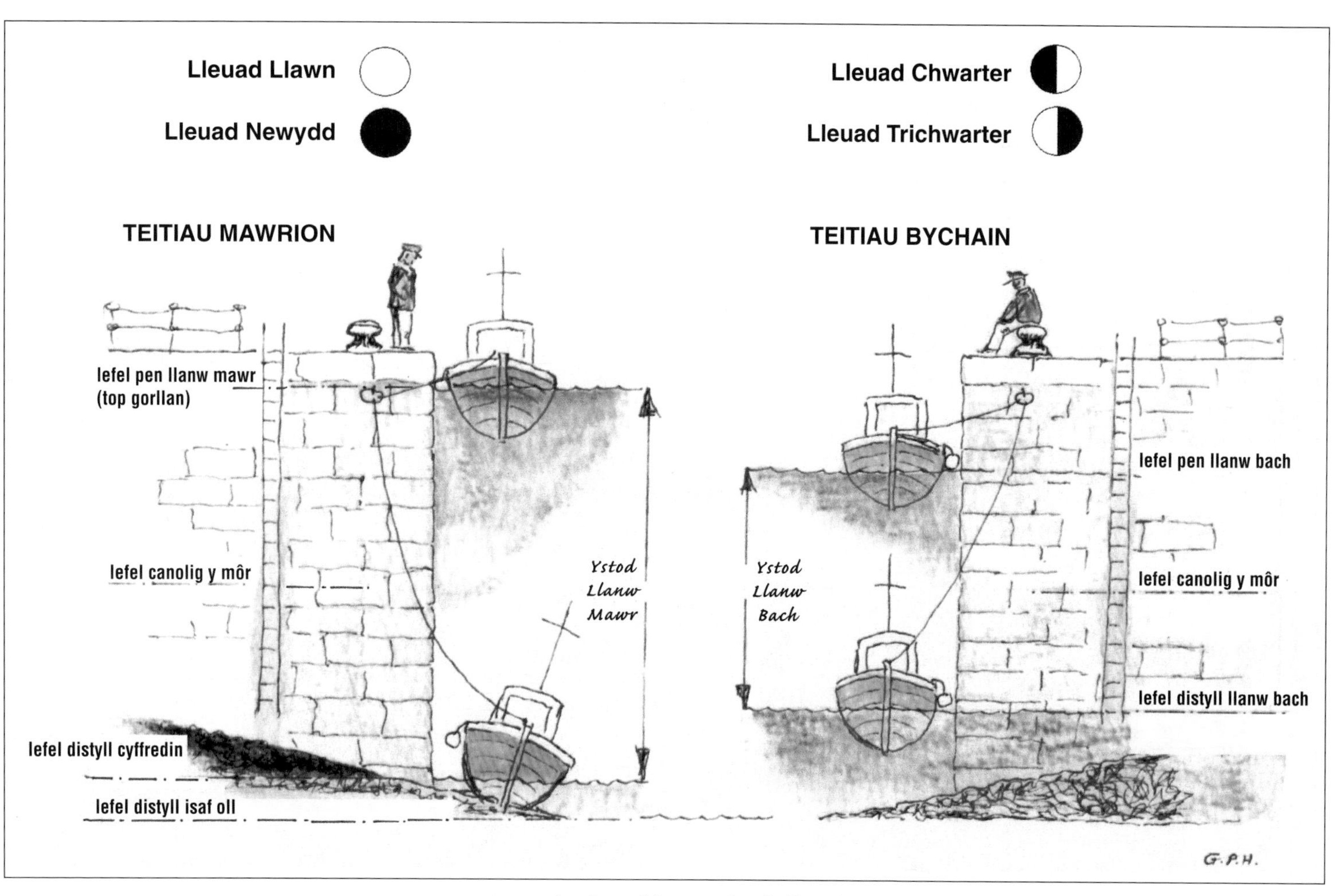

Amrywiaeth y teitiau – pob mis lleuad.

Carreg Frydan, *Britannia Rock*, y sylfaen i golofn ganol y bont, ac adlewyrchiad o'r bwa gogleddol yn y dŵr tawel ar ddiwedd y trai.

Edrych i lawr ar Garreg Frydan, gydag Ynys Gored Goch ar y chwith yn rhan uchaf y llun a chreigiau'r Cribiniau ar y dde.

Yn y nos mae'r goleuadau coch, gwyrdd a gwyn dan fwa'r bont yn rhoi argraff gyffredinol o'i lleoliad, ond i gadw at ganol y sianel gul rhaid i'r llongwr gadw'r ddau olau gwyn dan ochr chwith y bont (goleuadau arwain) mewn llinell union y naill uwchben y llall.

O ochr Môn, yn wynebu tua'r gorllewin, y tynnwyd y llun, a dyna pam bod Carreg y Pwll (Swelly Rock), a'i golau i'w gweld ar y chwith.

Cysgod y bont dros y sianel a phigau'r Cribiniau i'w gweld uwchlaw'r dŵr rhyw dair awr cyn pen llanw.

Un o allforion modern Môn. Trydan o Orsaf Niwclear Wylfa yn croesi'r Fenai ger Bont Britannia.

Mae natur beryglus y Cribiniau i'w gweld yn glir ar ddiwedd trai llanw mawr. Gellir gweld cip o Bont y Borth yn y pellter.

Slac pen llanw, a dau gwch yn pasio'i gilydd o flaen Ynys Gored Goch – a'r Cribiniau wedi'u cuddio!

Trai llanw mawr yn llifo'n gryf heibio i Ynys Gored Goch.

Arwydd Carreg y Pwll – *Swelly Rock* – ar dop gorllanw, ond mae'r trai eisoes yn rhedeg yn gryf.

Yr un arwydd eto, ond ar ddistyll, chwe awr yn ddiweddarach! Mae'r llanw'n codi tua chwe metr yn y fan hyn pan fydd hi'n deitiau mawrion.

Thrift (*Armeria Maritima*) shows among the rock along the Anglesey shore of the Swellies and on its numerous islets.

Ynys Tysilio a'r eglwys – yn yr haf . . .

. . . ac yn y gaeaf.

Fe adeiladwyd eglwys gyntaf ar Ynys Tysilio yn y seithfed ganrif pan ddaeth Sant Tysilio i encilio yno. Tua'r bymthegfed ganrif fe estynnwyd yr adeilad i'w ffurf bresennol. Rywbryd hefyd fe sefydlwyd y sarn i gysylltu'r ynys â glannau Ynys Môn.

Er ei fod yn agos i beryglon Pwll Ceris, mae culni'r Fenai ym Mhorthaethwy yn ei wneud yn llecyn cyfleus i gynnal fferi, fel y dengys cofnodion o'r trefniadau o ddiwedd y ddeuddegfed ganrif ymlaen. Mae'n bur debyg iddo fod yn fan croesi am ganrifoedd cyn hynny hefyd – a hwyrach mai dyma'r un a ddefnyddiwyd gan Tysilio pan ddaeth i'r ardal gyntaf.

Hawdd dychmygu bod llawer o deithwyr o Fôn i'r tir mawr wedi troi i mewn i'r eglwys i ofyn bendith ar eu siwrnai cyn mentro ar y cwch – ac eraill hwyrach wedi dod yno i fynegi diolch am eu gwaredigaeth ar ôl y croesi!

Wyneb y creigiau a elwir y *Platters* ar ochr orllewinol Pont y Borth. Dim ond ar ddistyll llanw mawr y daw'r creigiau hyn i'r golwg, ac mae eu perygl yn amlwg gan nad ydynt yn bell oddi ar y llwybr y dylid ei ddilyn rhwng Carreg y Pwll a chanol Pont y Borth. Mae nifer o longau a chychod wedi gweld eu diwedd arnynt dros y blynyddoedd ac nid anaml heddiw hyd yn oed yw clywed, neu weld, bod cwch (pleser gan amlaf) 'ar y Platters'.

Yn ddiamau, y llongddrylliad mwyaf trawiadol yn y rhan yma o'r Pwll oedd hwnnw i'r hen long ryfel goed *H.M.S. Conway*. Fe gollwyd rheolaeth arni wrth iddi gael ei thuo drwy'r Pwll ym mis Ebrill 1953. Roedd angen llanw mawr arni i sicrhau digon o ddyfnder dŵr, ond ar y teitiau rheiny nid yw'r slac yn para mwy na rhyw chwarter awr – digon i gwblhau'r weithred pe nad âi dim o'i le. Yn anffodus, oherwydd gwahanol amgylchiadau, daeth cryfder y trai i wrthwynebu symudiad yr hen long cyn iddi gyrraedd diogelwch yr ochr draw i Bont y Borth, ac er gwaetha ymdrechion y *tugs* cafodd ei gyrru i'r lan ar ochr ogleddol y Platters. Ni fedrai wrthsefyll y straen anhygoel a ddaeth ar ei chyfansoddiad yn ystod y trai dilynol, ac yno y daeth ei hir oes i ben.

Hen Felin.

Bwthyn deniadol ar fin y dŵr ar ochr Arfon o Bont y Borth yw Hen Felin. Anodd dychmygu melin go iawn ar y safle, ond hwyrach iddo unwaith fod yn fan i longau bychain lwytho cynnyrch o Felin Treborth.

Gwymon yn yr haul o flaen Hen Felin.

Pont y Borth

Môn ac Arfon mewn cerfwaith – cadwynawg
Gydunwyd yn berffaith,
A'r dibin mawr diobaith
Yn llwybr teg, lle bu arw taith

Eryron Gwyllt Walia

Uchelgaer uwch y weilgi – gyr y byd
Ei gerbydau drosti;
Chwithau, holl longau y lli,
Ewch o dan ei chadwyni.

Dewi Wyn o Eifion

Golwg aeafol ar y Bont mewn llun a dynnwyd o'r dibyn coediog y tu isaf i Blas Treborth. Pont y Borth sy'n cael ei gyfri fel terfyn dwyreiniol Pwll Ceris.

Cyn oes y bont, Porthaethwy oedd unig enw'r lanfa, h.y. 'porth' cwmwd Tindaethwy a leolir yn rhan dde-ddwyreiniol Ynys Môn ac, wrth gwrs, 'y Borth' yw'r enw hyd heddiw gan y Cymry ar y dref fechan. Naturiol hefyd mai Pont y Borth a ddywedwn am y bont enwog a godwyd gan Telford yn 1826.

I awdurdodau llywodraeth y dydd, fodd bynnag, ac i'r peirianwyr a'r adeiladwyr, 'y bont dros y Fenai' oedd disgrifiad y fenter, h.y. '*the Bridge over the Menai Strait*', ac o feddwl am y nifer o ddieithriaid a fu'n gweithio ar y safle am rai blynyddoedd, hawdd deall sut y daeth yn *Menai Bridge* i'r Saeson – ac i nifer o Gymry hefyd!

O Borthaethwy i Aber Ogwen

Yr un bont, ac yn y gaeaf eto, ond mae ei gwedd yn hollol wahanol o dan y llifoleuadau. Cystal â Phont Euraid San Francisco!

Golwg anghyffredin ar Borthaethwy. Mae haul mis Ionawr yn taflu cysgod eglur o'r bont dros yr eira.

Cei a iard goed yn y Borth.

Masnachwyr yn Llangefni oedd teulu 'Davies's y Borth' yn wreiddiol, ond wedi iddynt fentro i fyd llongau (i gludo eu nwyddau'u hunain yn y lle cyntaf) fe brynwyd cei a warws ar y safle hon ganddynt yn 1828.

Yn ystod y blynyddoedd nesaf aethant i fyd llongau dipyn mwy, gan brynu llongau i gludo llechi ac ymfudwyr o'r Fenai i borthladdoedd yng Ngogledd America. Oddi yno, o lefydd fel Québec a St. John's, Newfoundland, cludent goed yn ôl i'r Borth.

Yn y cyfnod hwn yn hanes y cwmni roedd cryn alw am goed yn lleol, nid yn unig i ddibenion adeiladwyr tai ond hefyd i gyfarfod â gofynion y chwareli ac, yn arbennig, yr adeiladwyr llongau mewn sawl man ar lannau'r Fenai. Doedd nemor ddim coed ar gael yn Sir Fôn, ac yn yr oes honno cyn dyfodiad y rheilffyrdd roedd yn llawer haws ei gludo'n uniongyrchol o Ogledd America i'r Borth, bob yn llond llong, nag o rannau eraill o'r wlad hon bob yn llond trol, a hynny ar hyd ffyrdd culion a mynyddig.

Yn eu cyfnod nesaf yn ystod ail hanner y bedwaredd ganrif ar bymtheg daeth cwmni llongau hwyliau Davies's y Borth yn adnabyddus iawn, ond er bod eu llongau'n llawer mwy erbyn hynny, a'u bod wedi ymestyn patrwm eu mordeithiau i gynnwys hyd a lled y byd, yn y Borth y parhaodd eu pencadlys, a hynny hyd nes daeth y cwmni i ben yn gynnar yn yr ugeinfed ganrif.

Bu coed yn cyrraedd mewn llongau o Sgandinafia tan ar ôl yr Ail Ryfel Byd. Erbyn heddiw mae'r coed yn cyrraedd ar loriau o Lerpwl neu ryw borthladd mawr tebyg lle gall llongau mawrion ddadlwytho i storfeydd enfawr ac o ble y caiff y coed eu dosbarthu.

Tafarn y 'Liverpool Arms', Porthaethwy.

Nid rhyfedd i Lerpwl gael ei chydnabod fel 'prifddinas' gogledd Cymru am dros ganrif o ddechrau'r bedwaredd ganrif ar bymtheg tan ganol yr ugeinfed ganrif – gan mai efo'r ddinas honno y bu'r cysylltiadau rhwyddaf, ac am dros hanner y cyfnod hwnnw llongau oedd y cyfrwng trafnidiaeth pwysicaf.

Roedd gwasanaeth rheolaidd rhwng Lerpwl a'r Fenai sawl gwaith yr wythnos, gyda'r llongau'n galw ym Miwmares, Bangor a'r Borth, a threfniant hefyd â Chaernarfon. Hawdd deall felly sut y cafwyd 'Liverpool Arms' yn enw ar dafarn yn y Borth (ac ym Miwmares hefyd).

Mwyach, ni ddaw llongau i'r Borth i gludo nwyddau na theithwyr – ar wahân i ambell long bleser o fath y *Balmoral* – ond, serch hynny, wedi chwalu'r hen 'St. George's Pier', fe gymerwyd ei le gan y pier newydd a welir yn y llun.

Yn ychwanegol at ei wasanaeth i'r llongau a'r cychod sy'n galw'n achlysurol, diben pwysicaf y pier yw bod yn 'gartref' i'r *Prince Madog*, llong ymchwil Adran Eigioneg Coleg y Brifysgol ym Mangor. Daeth tymor gwaith y llong wreiddiol, a welir ar ben y pier, i ben yn 2001, pan ddaeth un newydd o'r un enw i gymryd ei lle.

Y Pier yng ngolau dydd a'r llong newydd yn gorwedd ar ei ben.

Dim ond gan ddwy brifysgol ym Mhrydain mae Adran Eigioneg, a dim ond gan yr un ym Mangor y mae llong ymchwil bwrpasol.

O'r safle eang yn y Borth, mae'r Adran wedi datblygu pwysigrwydd rhyngwladol er clod i'r ardal yn ogystal â'r Coleg.

Yma y gwelir labordai glan môr yr Adran, o fewn cyrraedd cyfleus i'r llong pan ddaw'n ôl o'i mordeithiau ymchwil.

Yr hen long ger glan môr Môn. Hwyrach mai dyma'r agosaf a gawn at Longau Madog!

Y llong newydd a chefndir mynyddig Arfon.

Pont newydd Afon Cadnant a'i llun yn y dŵr ar fore oer o aeaf.

Ar gyrion dwyreiniol Porthaethwy, aber afon Cadnant oedd glanfa'r fferi a elwid yn Fferi'r Esgob, un arall o'r fferïau a fu'n cysylltu Arfon a Môn am rai canrifoedd cyn oes y pontydd.

Edrych allan o afon Cadnant at Ynys Castell dros bennau'r gwyddau.

Man croesi'r hen fferi, a elwyd yn 'Fferi'r Esgob', rhwng aber afon Cadnant ym Môn, ar y dde yn y llun, a chilfach 'Porth yr Esgob' ym Mangor ar y chwith.

Porthesgob, a'r tŷ a elwir erbyn hyn yn 'Water's Edge'. Yn y fan hyn hefyd mae gweddillion 'Gored y Gút', a roddodd ei henw, dros y blynyddoedd, i'r safle'n gyffredinol ac i'r ffordd sy'n arwain ato o Siliwen, Bangor.

Yr hen fythynnod ar lan orllewinol afon Cadnant. Mae'n debyg mai'r safle hwn oedd glanfa'r cwch fferi o Borthesgob pan oedd y llanw'n caniatáu. Mae hen bont Cadnant i'w gweld yn y cefndir.

Tŷ glan afon go iawn, ar lan ddwyreiniol afon Cadnant ychydig uwchlaw'r hen bont.

Rhan o Glyn Garth yn dangos Plas Rhianfa.

Ar lan Sir Fôn ar hyd y rhan hon o'r Fenai mae nifer o dai hardd a godwyd gan bobl gyfoethog tua diwedd y bedwaredd ganrif ar bymtheg, a thir y rhan fwyaf ohonynt yn ymestyn i lawr at fin y dŵr.

Nid Triawd y Coleg, ond dau 'bedwarawd' o'r Brifysgol! Cychod rasio myfyrwyr Bangor yn ymarfer mewn tywydd delfrydol i rwyfo – yn hollol ddi-wynt!

Regata liwgar ym mis Awst mewn tywydd delfrydol i hwylio – digon o wynt!

Pier Bangor yn ei ogoniant yng ngoleuni'r machlud haul. Fe'i hadeiladwyd yn 1896 pan oedd cryn gystadleuaeth rhwng y trefi glan môr i godi atyniadau i ddenu ymwelwyr. Gan nad oedd ganddi draethau fel Llandudno a'r Rhyl, fe gododd Bangor y pier hiraf!

Tua chwarter milltir o hyd, mae'n ymestyn union hanner ffordd ar draws y Fenai, bron at y bwi coch a welir i'r chwith o ben y pier. Mae hwnnw'n dangos lle mae ymyl ddeheuol y brif sianel sy'n llifo ar ochr Sir Fôn yn y rhan yma.

Roedd hyd y pier yn caniatáu i stemars ddod at ei ben i lanio ymwelwyr ar bron unrhyw adeg o'r llanw.

Gyda chroeso yn y dafarn gerllaw a slip i lanio cychod, mae'r safle hwn yn un hynod boblogaidd efo llongwyr tywydd teg! Ond glanfa fferi arall oedd yma tan ar ôl canol yr ugeinfed ganrif.

Borthwen oedd yr enw ar y safle yn yr unfed ganrif ar bymtheg, ac am rai blynyddoedd bwthyn a elwir 'Borthwen Bach' oedd cartref cychwr y fferi. Ers codi gwesty o'r enw y 'Gazelle' yno yn y bedwaredd ganrif ar bymtheg, daeth yr enw hwnnw i ddisgrifio'r lanfa hefyd, a dyna ddywed pawb yn y rhan hon o Fôn erbyn heddiw.

IYn union i'r dwyrain ger troed y pier ym Mangor dyma oedd glanfa pen llanw y fferi yn y Garth ar ochr Bangor. Wedi codi'r pier roedd yn fwy boddhaol i'r fferi redeg i ben hwnnw dros waelod y llanw – llai o 'fordaith' ond mwy o gerdded!

Cychod rhwyfo oedd y rhai cynnar, a cheir sôn am gychod hwylio hefyd ar ddiwedd y bedwaredd ganrif ar bymtheg, ond yn 1917 fe brynodd Cyngor Bangor stemar fechan newydd o'r enw *Cynfal* yn arbennig i wasanaethu'r fferi. Hwyrach ei bod yn rhy ddrud i'w chynnal ond, am ba reswm bynnag, cymerwyd ei lle gan gychod modur o 1929 hyd nes i'r gwasanaeth ddod i ben.

Y ‘Gazelle’ eto ond ar ben llanw tro hwn a’r safle’n brysur efo hwylwyr a gwylwyr! Y bwi coch â’r enw ‘Bangor’ yw’r un a welir yn y llun ar dudalen 76.

Dyma’r olygfa drawiadol o’r ardal a geir o Landegfan, rhyw 250 troedfedd (75m) uwch lefel y môr.

O’r safle yma mae’n anodd credu nad yw’r pier ond yn cyrraedd hanner ffordd ar draws y Fenai o’r Garth at y ‘Gazelle’. Yn y pellter gwelir Porth Penrhyn, a bae Hirael rhwng y fan honno a’r pier.

Cychod pleser yn gaeafu yn iard Dickies, Y Garth, Bangor. Fe adeiladwyd cryn nifer o longau masnach yn ardaloedd y Garth a Hirael, Bangor, yn ystod y bedwaredd ganrif ar bymtheg, ac yn yr ugeinfed ganrif fe ddygwyd y traddodiad ymlaen gan gwmni Dickies ym myd cychod pleser.

Daw badau achub yr RNLI yma yn rheolaidd i'w harchwilio, a'u trwsio fel bo'r angen.

Cwch cregyn gleision yn llywio tuag at yr agoriad i Borth Penrhyn. Penmaen-mawr a Phenmaen-bach a welir yn y cefndir.

Mae'r doc yn un agored, ac wedi ychydig oriau o drai mae'r gwaelod yn sych – wel, yn fwd beth bynnag! – ond ar ben llanw mae digon o ddŵr i nofio cychod pysgota sydd ar fin cyrraedd y cei i lanio llwyth o gregyn gleision. Mae'r 'BS' ar flaen y cwch hwn yn dangos mai ym Miwmares y'i cofrestrwyd.

Yng nghanol y bedwaredd ganrif ar bymtheg roedd llawer iawn o gynnyrch chwarel y Penrhyn yn mynd i Ogledd America, ac yn ystod ail hanner y ganrif roedd yr allforion blynyddol, i bob man, wedi cynyddu i dros 100,000 tunnell. Yn yr ugeinfed ganrif daeth lleihad yn y galw am lechi a newid mawr hefyd yn null eu cludiant; o ganlyniad daeth segurdod i'r porthladd a fu mor brysur a phwysig i'r ardal. Erbyn heddiw mae'r doc yn gweld tipyn o adfywiad, gydag ambell alwad gan long fasnachol a chryn fynd ar y diwydiant pysgota cregyn gleision. Mae nifer o fusnesau bychain hefyd wedi'u sefydlu ar y safle, gan gynnwys un sy'n adfer cychod pren.

Dyma enghraifft o waith cywrain y crefftwr o saer llongau hwnnw.

Afon Cegin a chei allanol Porth Penrhyn.

Hyd at tua 1770 roedd rhan fwyaf y llechi a gloddid yn yr ardal yn cael eu llwytho i longau yn Aberogwen, ond wedi hynny daeth Abercegin yn fwy pwysig ac yma, yn 1790, yr adeiladwyd glanfa newydd a'i henwi yn Port Penrhyn. Rhyw bum can troedfedd o hyd oedd y cei gwreiddiol ond fe ychwanegwyd ato dros y blynyddoedd ac yn y diwedd cafodd ei gynnwys yn natblygiad y doc fel ag y mae heddiw.

Nid tŷ bach crwn, ond Tŷ Bach, crwn – a hynafol! – at wasanaeth gweithwyr ar y cei ym Mhorth Penrhyn.

Dyma un arall o'r cychod cregyn yn gorwedd wrth y cei. Fe welwyd llun ohono eisoes ar dudalen 6, ar Far Caernarfon yn codi cregyn ifanc i'w trawsblannu.

Dyma'r rhwydi trymion a ddefnyddir i gynaeafu cregyn gleision o'r gwelyau ar Draeth Lafan a'r ardal gyfagos, i gyfeiriad Bangor. Mae'r bobl leol wedi casglu cregyn o wahanol fathau yma ers canrifoedd ond yn ystod y blynyddoedd diweddar y datblygwyd y diwydiant ar raddfa fasnachol go iawn. Mae'r cynhaeaf blynyddol sy'n cael ei lanio yn Noc Penrhyn yn amrywio rhwng tair a deng mil o dunelli, a'r rhan fwyaf ohono'n cael ei allforio i Ffrainc.

Dyma enghraifft o welyau'r cregyn gleision. Mae pob cwch sy'n eu pysgota (roedd pedwar yn 2001) yn cael hawl ar arwynebedd penodedig o wely'r Fenai i weithio drosto, a'r gamp gyntaf yw casglu'r cregyn had i'w plannu yno. Mae'r rhain i'w cael y tu allan i'r Fenai yn ardal Bar Caernarfon ac fe'u codir pan maent tua hanner modfedd (12mm) o hyd. Am wahanol resymau, pen gorllewinol y Fenai yw'r man lle mae'r had yn tyfu orau, a'r pen dwyreiniol yw'r man gorau iddynt ddatblygu. Mae'r cregyn yn cael eu codi wedi iddynt dyfu i rywbeth dros 1½ modfedd (tua 40 mm) gan mai dyna'r maint mwyaf derbyniol i'r farchnad. Mae cragen yn ei llawn dwf yn llawer mwy na hyn, ond erbyn hynny mae'i thu allan wedi casglu mân gregyn o fathau eraill fel y gwelir yn y llun, ac yn edrych yn llai deniadol i'r prynwyr.

Castell Penrhyn o'r dwyrain.

Ar safle'r hen blasty, fe adeiladwyd Castell Penrhyn gan Thomas Hopper tua 1827 yn y dull ffug-Normanaidd. Yn fawr a chadarn, mae'n adlewyrchu awdurdod teulu Douglas Pennant a'r cyfoeth a ddeilliodd o'u heiddo yn Jamaica ac wedyn o chwarel dra llwyddiannus y Penrhyn. Saif y castell yn llythrennol ar y penrhyn rhwng afon Cegin i'r gorllewin ac afon Ogwen i'r dwyrain.

O Aber Ogwen i Ynys Seiriol

Pont haearn-bwrw dros afon Ogwen ar fin glan môr y Fenai.

Ar y bont gwelir y geiriau canlynol:

CAST AT PENYDARRAN IRONWORKS,
GLAMORGANSHIRE. MDCCCXXIV

O'r bedwaredd ganrif ar ddeg tan yn hwyr yn y ddeunawfed ganrif, Aberogwen oedd y prif safle i longau lwytho llechi'r ardal. Bryd hynny, tua deng mlynedd ar hugain cyn codi'r bont hon yn 1824, fe symudwyd y gweithrediadau i Abercegin lle datblygwyd Porth Penrhyn yn ddiweddarach.

Un o ffyrdd preifat yr ystad sy'n ei chroesi ac mae'n debyg i'r bont gael ei chodi fel rhan o'r datblygiadau yn y parc i gyd-fynd ag adeiladu'r castell newydd.

O'r fan hon, yn dilyn y trai, mae'r Ogwen yn creu sianel fas sy'n ffurfio ffin orllewinol Traeth Lafan ac sydd, ar ddistyll, yn cyfarfod â lli'r Fenai yn agos i lan môr Môn ychydig i'r gorllewin o Gallows Point (gweler map 8). O gwch y gwelir gogoniant y bont orau.

Sefydlwyd gwaith haearn Penydarren ym Merthyr Tudful tua diwedd y ddeunawfed ganrif, ychydig cyn agor camlas Sir Forgannwg. Bu hon yn fanteisiol iawn i'r diwydiant newydd fel cyfrwng i gludo'i gynnyrch i Gaerdydd, ac oddi yno i rannau eraill o'r deyrnas.

Mae'n debyg fod y bont hon dros Aberogwen yn dystiolaeth bod perthynas barod rhwng gogledd a de Cymru rai blynyddoedd cyn Cynulliad 1999!

Er mai mewn sawl darn y gwnaethpwyd y bont ym Mhenydarran roedd y rhannau unigol yn pwyso rhai tunelli a buasai eu dadlwytho i'r fath safle yn dipyn o gamp.

O fewn dau gan llath i'r bont mae gwarchodfa natur lle daw llawer i wylio adar yr aberoedd yn arbennig. Mae'r brwyn a welir yn y llun (*phragmites communis*) ar lan yr Ogwen tu uchaf i'r bont yn cynnig safleoedd i nifer ohonynt nythu.

Gweddillion clawdd môr o goed, ychydig i'r dwyrain o afon Ogwen. Mae'n debyg bod ymyl y tir wedi'i erydu gryn dipyn yn y safle hwn. Rhwng y coed gwelir rhai o'r trigain neu fwy o elyrch sy'n cartrefu yma yn ystod misoedd yr haf.

Am ganrifoedd cyn gwella'r ffyrdd i Fangor a fferi Porthaethwy, byddai teithwyr o gyfeiriad y dwyrain ar eu ffordd i Fôn yn croesi Traeth Lafan i gyrraedd cwch-fferi Biwmares. Ar droed neu ar gefn ceffyl fe gychwynnent ar y pedair milltir o daith tua thair awr ar ôl pen llanw wedi i'r trai ddadorchuddio'r traeth, gan obeithio y byddai'r cwch yn eu disgwyl i'w cludo dros sianel y Fenai a fyddai'n gymharol gul erbyn iddynt ei chyrraedd.

Yn y cyfnod cynnar roedd y llwybrau dros y traeth yn cychwyn o gyffiniau Penmaen-mawr, ond yn y cyfnod mwy diweddar daeth Abergwyngregyn yn fan cychwyn arferol. Erbyn hynny roedd y lanfa ar ochr Môn wedi'i symud o safle gyferbyn â thref Biwmares i un gyferbyn â'r Pwynt.

Gyda gwella'r ffyrdd bu cynnydd yn y defnydd a wnaed o fferi Porthaethwy a lleihad cyfatebol yng ngwaith fferi Biwmares. Wedi adeiladu Pont y Borth, llai fyth oedd y galw ac fe ddaethpwyd â'r gwasanaeth i ben ym mis Chwefror 1830.

Distyll ar Draeth Lafan; mae'r Pwynt *(Gallow's Point)* i'w weld ar y chwith a thref Biwmares ar y dde.

Rhyw dair awr cyn pen llanw daw'r môr unwaith eto i guddio Traeth Lafan yn llwyr. Felly, yn wahanol i fferïau eraill y Fenai, doedd cwch Biwmares ond yn gweithio dros oriau isaf y llanw a hynny, mae'n bur debyg, ond yng ngolau dydd.

Dyma'r cyfarwyddyd i'r rhai a fynnent groesi:

I dir Môn er dŵr Menai,
Dros y traeth ond aros trai.

Rhys Goch Glandyfrdwy (tua 1460)

Yr olygfa o Fôn dros y Fenai i gyfeiriad Castell Penrhyn. Ar y dde mae glan môr y Pwynt yn Sir Fôn, lle glaniai'r fferi gynt. Penrhyn Safnes oedd enw'r lle ers talwm iawn. Ar y chwith gwelir ymyl Traeth Lafan, sy'n ymestyn o lannau'r tir mawr.

Ar ddistyll teitiau mawrion, nid yw'r Fenai mwy na rhyw ddau ganllath o led yn y fan hyn.

Yr olygfa o'r Pwynt i'r dwyrain tua Phenmaen-mawr. Roedd (ac y mae!) y pellter dros y traeth i'r cyfeiriad hwn yn bedair milltir a mwy. I'r rhai fyddai'n cychwyn am y tir mawr yn hwyr roedd yn rhaid gofalu bod digon o amser ar ôl iddynt gyrraedd y lan bellaf cyn i'r llanw newydd eu dal.

Yr olygfa i gyfeiriad Aberogwen a'r Carneddau.

Fe welir bod glan môr y Pwynt yn troi'n fae bychan, a thybed felly ai ei gyffelybu i safn yr oedd yr hen enw, sef Penrhyn Safnes?

Y Pwynt eto ar brynhawn o aeaf. Ar y safle hwn mae pencadlys y clwb hwylio *North West Venturers*, ac fe welir rhai o'u cychod ar y lan yn disgwyl yr haf nesaf.

Ar un adeg roedd tomen sbwriel gyhoeddus i drigolion Biwmares wedi'i lleoli ar y Pwynt, ac mae'n debyg mai o honno y daeth y tameidiau gwydr tlws hyn a godwyd o'r lan môr cyfagos.

Biwmares o Draeth Lafan yn gynnar ar fore o wanwyn.

Pen gorllewinol y dref.

O ymyl Traeth Lafan y tynnwyd y llun ac mae'n dangos, yn y fan hyn eto, mor gul y gall y Fenai fod ar waelod llanw. Er ei bod yn gul mae'r dŵr yn ddwfn yn y canol, tua wyth metr hyd yn oed ar ddistyll llanw mawr. Mesur dyfnder dŵr ar siartiau môr ers talwm oedd gwryd, (yn tarddu o gwr+hyd – yn Saesneg *fathom*) ond gyda'r awydd gan lywodraethau Ewrop i fabwysiadu'r drefn fetrig, mae siartiau heddiw yn dangos dyfnder mewn metrau. Fel hyn rydym wedi colli defnydd y ddau air buddiol, a thraddodiadol, o'r Saesneg ac o'r Gymraeg.

Tref Biwmares a'r Gogarth y tu cefn; golygfa gynnar eto, ar fore tawel yn yr Hydref.

Pier Biwmares.

Fe godwyd y pier yn wreiddiol i wasanaethu'r llongau a gludai nwyddau a theithwyr o Lerpwl i borthladdoedd bychain y Fenai. Er bod ei ddyddiau masnachol wedi hen ddarfod, mae'r pier yn parhau i fod o fudd i'r cychod pleser ac i'r pysgotwyr – a hefyd i'r niferoedd, yn drigolion ac yn ymwelwyr, sy'n mynd am dro ar ei hyd i fwynhau'r golygfeydd.

Gwawr gaeaf trwy golofnau pier Biwmares.

Mae'r trawstiau isaf yn gartref i'r *plumose anemone* neu anemoni pluog (*metridium senile*). Maent yn dlysach dan ddŵr, beth bynnag!

Rhan o ffos Castell Biwmares. Mae sôn bod camlas fechan wedi cysylltu dŵr y ffos efo dŵr y Fenai ar un adeg, gan ganiatáu i gychod deithio rhwng y naill a'r llall i gludo cyflenwadau o fwyd a nwyddau yn uniongyrchol i'r gaer, a'u dadlwytho drwy'r adwy isel a welir ar ochr dde'r llun. Os cywir yr honiad, mae'n debyg mai dim ond ar ben llanw ar adeg teitiau mawrion y buasai lefel dŵr y Fenai yn ddigon uchel i'r trefniant weithio.

Safle'r castell ar fin y Fenai.

Cychod hwylio bychain ar fin y 'Green', Biwmares, yn cael eu paratoi ar gyfer regata.

Tua'r fan hon, ar ymyl y 'Green', yr oedd glanfa'r fferi yn y blynyddoedd cynnar. Fel 'Fferi Llanfaes' y'i disgrifiwyd gyntaf, ond fel 'Fferi Biwmares' wedi i Edward I godi'r castell a chreu tref o'r enw hwnnw. Fe symudwyd y lanfa i'r Pwynt (Penrhyn Safnes) rywbryd tua dechrau'r ddeunawfed ganrif gan fod ffurf ymyl Traeth Lafan yn well i ddiben glanio cychod gyferbyn â'r fan honno.

I'r dwyrain o Fiwmares mae natur glan y môr yn newid ac mae'r tir amaethyddol gerllaw yn cynnwys clogfaen yn dyddio o oes yr iâ, ac ynddo dywod a gro a adawyd gan y dŵr tawdd. Mae'r llun yn dangos ymyl agored y tir wedi'i erydu, y defnydd mân wedi'i olchi i ffwrdd a'r meini sylweddol wedi eu gadael ar y traeth.

O'r trwyn dwyreiniol hwn o Fôn – o chwarel Penmon ar yr ochr ddeheuol a chwarel Dinmor hanner milltir i ffwrdd ar yr ochr ogleddol – y cloddiwyd miloedd o dunelli o garreg dros y blynyddoedd. Oddi yno y daeth llawer o'r cerrig i godi cestyll Edward I ac, ymhen rhai canrifoedd wedyn, i godi adeiladau a dociau Lerpwl. Am gyfnod yn ystod yr ugeinfed ganrif fe gludid peth wmbredd o'r deunydd mewn llongau arbennig i'w ollwng yn y môr tu allan i Lerpwl i ffurfio sarn o boptu afon Mersi i reoli'i chyfeiriad a'i dyfnder. Wrth i'r gwaith hwnnw ddod i ben, daeth galw am ragor o gerrig i adeiladu doc enfawr Seaforth yng ngheg afon Lerpwl, ond fe gwblhawyd y fenter honno yn y 1970au. Ers peth amser bellach fe gaewyd y chwareli ac fe chwalwyd y jetties lle gynt y llwythid y llongau. Tybed, rhywbryd, a ddaw galw arall, a 'llongau cerrig' i'w gweld eto yn llwytho ar bwys y Fenai?

Penmon Quarry.

Priordy Penmon, gyda'r colomendy ar y dde a chrib y chwarel tu draw. Wedi'i sefydlu gan berthnasau i Seiriol Sant a drigai ar yr ynys, mae'n debyg i'r eglwys wreiddiol gael ei difrodi gan y Llychlynwyr yn y ddegfed ganrif. Rhan o adain ddeheuol cloestr y Priordy, a adeiladwyd yn y drydedd ganrif ar ddeg, oedd yr adeiladau presennol ac mae eglwys Seiriol Sant yn dyddio o'r un cyfnod. Cysylltir y ddau gan dŷ'r Prior, a adeiladwyd yn yr unfed ganrif ar bymtheg ac sydd heddiw'n eiddo preifat. Codwyd y colomendy tua 1600 i sicrhau tamaid blasus ar fwrdd Syr Richard Bulkley, yr uchelwr lleol.

Gan ddilyn y llwybr i fyny o'r Priordy i Drwyn Du, dyma'r olygfa gyntaf a geir o Ynys Seiriol wedi cyrraedd pen y codiad. Rhwng y goleudy a Charreg Edwen (lle mae'r golofn goch) mae'r sianel bwysicaf i ben dwyreiniol y Fenai.

Gall cychod a llongau bychain fynd a dŵad ar hyd ochr ddeheuol yr ynys hefyd, fel y dengys Lewis Morris ar y siart a wnaeth yn 1748 (siart 5), ond mae llai o ddyfnder dŵr y ffordd honno. Fe welir hefyd ar y siart bod arwydd i'w weld ar Garreg Edwen hyd yn oed y pryd hynny ond bu'n ganrif wedyn, fwy na heb, cyn codi'r goleudy ar y Trwyn ei hun.

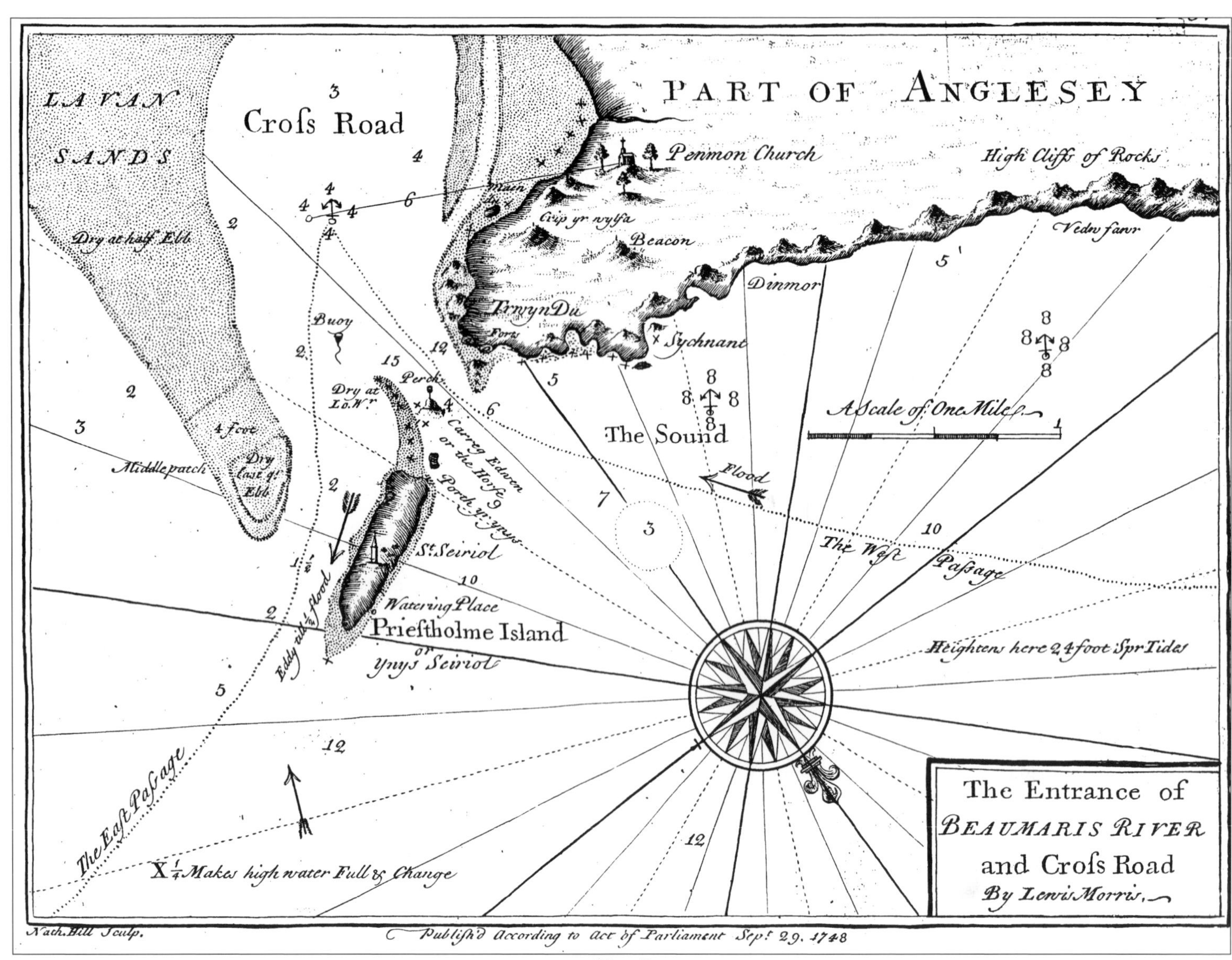
PART OF ANGLESEY
LAVAN SANDS
Cross Road
Penmon Church
High Cliffs of Rocks
Dry at half Ebb
Beacon
Vedw fawr
Dinmor
Trwyn Du
Fort
Sychnant
Buoy
Perch
Dry at Lo.Wr.
Carreg Edwen or the Horse
Porth yr ynys
A Scale of One Mile
The Sound
Flood
Middle patch
4 foot
Dry last qr. Ebb
St. Seiriol
The West Passage
Watering Place
Priestholme Island
or Ynys Seiriol
Eddy till ½ flood
Heightens here 24 foot Spr Tides
The East Passage
X¼ Makes high water Full & Change
The Entrance of BEAUMARIS RIVER and Cross Road
By Lewis Morris.
Nath. Hill Sculp.
Publish'd According to Act of Parliament Sept. 29. 1748
Siart 5.

Ogof fechan yn haenau'r garreg galch sy'n ffurfio cyfansoddiad Penmon.

Mae glan y môr yn garegog ar ochr ogleddol Trwyn Du. O natur y cerrig calch carbonifferaidd hyn, fel y tystiai'r chwareli niferus yn yr ardal, y cyfansoddwyd y cyfan o'r gornel hon o Fôn, o Fwrdd Arthur i'r Trwyn ei hun, ac Ynys Seiriol hefyd. Mae tonnau'r môr wedi erydu'r graig a threulio'r cerrig fel bod eu maint yn amrywio, o'r rhai mwyaf ar linell pen llanw teitiau mawrion, i'r rhai lleiaf i gyfeiriad y dŵr.

Goleudy Trwyn Du, Penmon, ar ddistyll llanw mawr. 'Golau Penmon' a ddywedir gan amlaf ar lafar, ond Trwyn Du yw'r enw swyddogol gan mai dyna yw enw daearyddol y safle ym mhen dwyreiniol pellaf ynys Môn. Mae'r goleudy'n gwarchod y sianel gul i'r Fenai sy'n gorwedd rhwng creigiau peryglus y trwyn ei hun a charreg Edwen ar ochr Ynys Seiriol.

Mae'r siart swyddogol (siart 6) yn disgrifio 'cymeriad' y goleudy wedi'i dalfyrru fel hyn:

Fl. 5s 19m 12M
Bell (1) 30s

I'r llongwr mae'r llythrennau a'r ffigurau hyn yn cyfleu, yn gyntaf, fod y golau'n fflachio unwaith bob pum eiliad, yna ei fod yn olau gwyn (gan nad yw'n dweud i'r gwrthwyneb), yn nesaf fod llusern y goleudy yn sefyll 19 metr uwchlaw lefel y môr ar lanw mawr, ac yn olaf ei fod yn weladwy am 12 milltir. Mae'r ail ran yn dweud fod cloch ynghlwm wrth y goleudy hefyd a bod honno'n taro unwaith bob hanner munud.

Ymysg ei benillion sy'n disgrifio'r fordaith o Lerpwl i Lŷn mae J. Glyn Davies yn cynnwys hon:

Goleuni Penmon gyda hyn
o'n blaenau'n union;
fflachiadau clir y golau gwyn,
a'r cwrs i'r afon.

Yr olygfa o'r llong bleser *Balmoral* yn gadael y Fenai. Mae'r goleudy i'r chwith ac arwydd coch Carreg Edwen i'r dde. O'r nodyn ar dudalen 27 fe gofiwch mai ar y dde mae arwyddion cochion wrth fynd tua'r môr.

Gorsaf a thai annedd y *Coastguard* oedd yr adeilad a welir ar y chwith ond ebyn mabwysiadu'r enw Cymraeg 'Gwylwyr y Glannau', roedd y drefn gwylio o'r gorsafoedd lleol wedi dod i ben a'r gweithrediadau wedi symud i'r pencadlys yng Nghaergybi. Oherwydd y radio, gwrando yw'r drefn heddiw, yn hytrach na gwylio!

Mae llythrennau mawr du i'w gweld ar ochr dde rhan uchaf gwyn y goleudy. Mae'r neges gyfan yn dweud *No passage landward* fel neges daer i unrhyw longwr diarth a allai ystyried hwylio dros y creigiau, cuddiedig ar ben llanw, sy'n gorwedd rhwng y goleudy a thrwyn y tir.

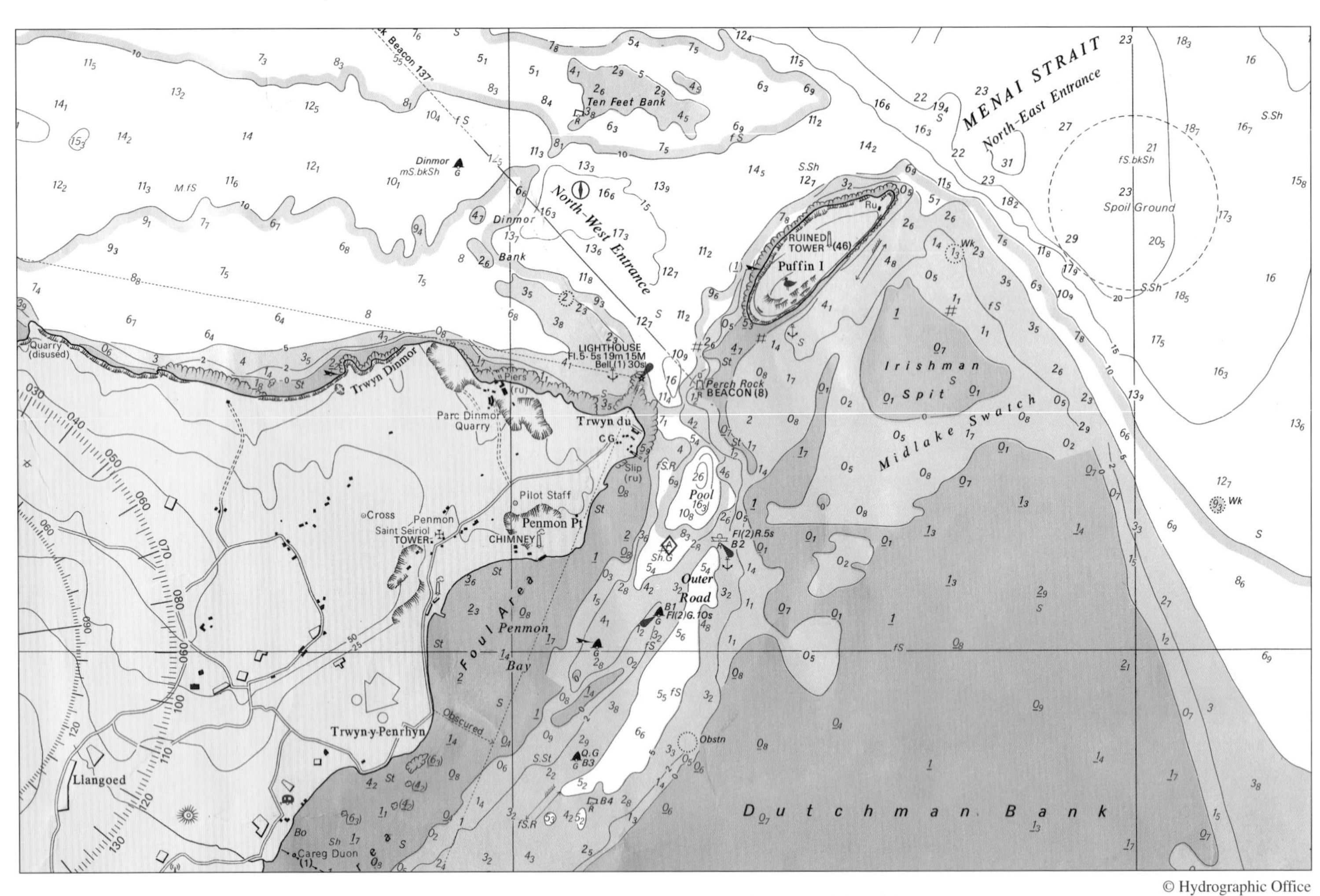

© Hydrographic Office

Siart 6: Rhan o Admiralty Chart 1464 'Menai Strait'.

Golygfa o'r swnt yn edrych i'r de-orllewin o Ynys Seiriol ar ddistyll llanw mawr.

Gan gyfeirio eto at siart Lewis Morris (siart 5) mae'r brif sianel i'r pen hwn o'r Fenai i'w gweld i'r gogledd-orllewin o'r ynys, rhwng carreg Edwen a Thrwyn Du lle mae'r goleudy. Mae sianel arall yr ochr isaf i'r Ynys ar ochr chwith y llun ond, fel y dywedwyd eisoes, mae llawer llai o ddyfnder dŵr yn honno.

Mae'r llun hefyd yn dangos, yn union tu ôl i'r goleudy, y crib o greigiau sydd wedi'i guddio ar ben llanw ac sy'n egluro'r angen am y neges y soniwyd amdani ar dudalen 105.

Y lanfa ar ochr ddeheuol Ynys Seiriol, a'r haenau amlwg yng ngharreg ei chyfansoddiad. Mae sôn bod Seiriol Sant wedi cychwyn sefydliad crefyddol ar yr ynys yn y chweched ganrif, ac mae ôl adeiladau mynachaidd yn dyddio o'r drydedd ganrif ar ddeg yn awgrymu bod y gymuned grefyddol wedi parhau yno am rai canrifoedd.

Priestholme oedd enw gwreiddiol y Saeson ar Ynys Seiriol, ond fe ddaeth yn fwy adnabyddus iddynt fel *Puffin Island* oherwydd ei bod yn gyrchfan i gynifer o adar y môr. Ar ei hwyneb creigiog daw'r palod a'r gwylogod i nythu yn eu tymor ar ddechrau'r haf ac mae llawer o wylanod, mulfrain, mulfrain gwyrddion ac adar eraill yn byw yno hefyd.

Ochr ddeheuol yr ynys eto, yn dangos natur y graig sy'n lloches i'r cannoedd o adar. Mae'r môr i'w weld yn eithriadol lonydd a heb awgrym o'r awel leiaf – ond nid yw felly bob amser; i'r gwrthwyneb, mae'r safle'n un digon agored mewn tywydd mawr ac fe fu sawl llongddrylliad o fewn golwg yr ynys.

Pen dwyreiniol Ynys Seiriol ac adfail yr hen orsaf deligraff. Am rai blynyddoedd yn ystod y bedwaredd ganrif ar bymtheg fe gynhaliwyd gwasanaeth rhwng Caergybi a Lerpwl i drosglwyddo negeseuon ynglŷn â llongau ar hyd cadwyn o orsafoedd teligraff oedd yn weladwy i'w gilydd. Roedd yr orsaf hon ar Ynys Seiriol mewn cysylltiad efo gorsaf debyg ar fynydd Eilian yng ngogledd Môn i'r naill gyfeiriad ac ar ben y Gogarth i'r cyfeiriad arall. Daeth y trefniant i ben tua'r 1860au wedi dyfodiad y teligraff trydanol. Roedd nifer o'r gorsafoedd mewn llefydd anghysbell, ond hon yn sicr oedd y fwyaf unig i'w chynnal i'r rhai oedd yn byw a bod yno.

Yn ogystal â'r adar mae'r morloi hefyd yn gweld yr ynys yn hafan. Dyma rai'n torheulo tra bo'r llanw'n isel.

Yr ynys o gyfeiriad y gogledd-ddwyrain.

Wedi gadael cysgod Ynys Seiriol fe allech gyfeirio tua Lerpwl, Conwy, Caergybi neu Ynys Manaw, ond i ba bynnag gyfeiriad yr aech, byddai arnoch hiraeth am y Fenai a'i hyfrydwch.

Diolchiadau

Camp fuasai enwi'r holl unigolion, yr awduron, y cyfeillion ac aelodau o'r teulu sydd wedi cyfrannu, yn uniongyrchol ac anuniongyrchol, at gynnwys y llyfr hwn. Wedi codi tameidiau o wybodaeth ganddynt dros gyfnod maith, ni fedraf ond mynegi diolch iddynt a gobeithio nad oes unrhyw gamgymeriadau ar fy rhan i yn effeithio yn rhy arw ar eu llun hwy o'r Fenai.

Er i mi gael syniad am y llyfr ers peth amser, a sôn amdano wrth y teulu (hyd syrffed mae'n debyg!) nid oeddwn wedi gwneud nemor ddim yn ymarferol nes digwydd codi'r mater efo'm cyfaill, Terry Beggs. Yr oedd o ar y pryd newydd orffen tymor o gwrs ffotograffiaeth arbennig ac yn falch iawn o'r cyfle i ymgymryd â gwaith camera llyfr arfaethedig fel prosiect go iawn. Diolch iddo am ei waith ac am ei gydweithrediad. Mentraf hefyd ddiolch ar ei ran i'w wraig Shirley am ei chyfraniad hithau, ac am ei goddefgarwch tra bu ei gŵr yn mynd a dŵad o'r tŷ ar oriau anghymdeithasol yn ôl gofynion y tywydd, y golau, a'r llanw.

Diolch i Wasg Gomer am dderbyn ymdrech dau brentis yn y maes, hefyd i Gari Lloyd a Doug Jones yn y stafell gysodi am wneud cystal â'n defnydd (a medru darllen fy ysgrifen i!) ac yn bennaf i Bethan Mair am ei chyfarwyddyd, ei chyngor, a'r chyfeillgarwch.

Ond yn fwy na neb arall, diolch i'm gwraig, Eira – hebddi hi, ni fyddai'r llyfr yn bod.

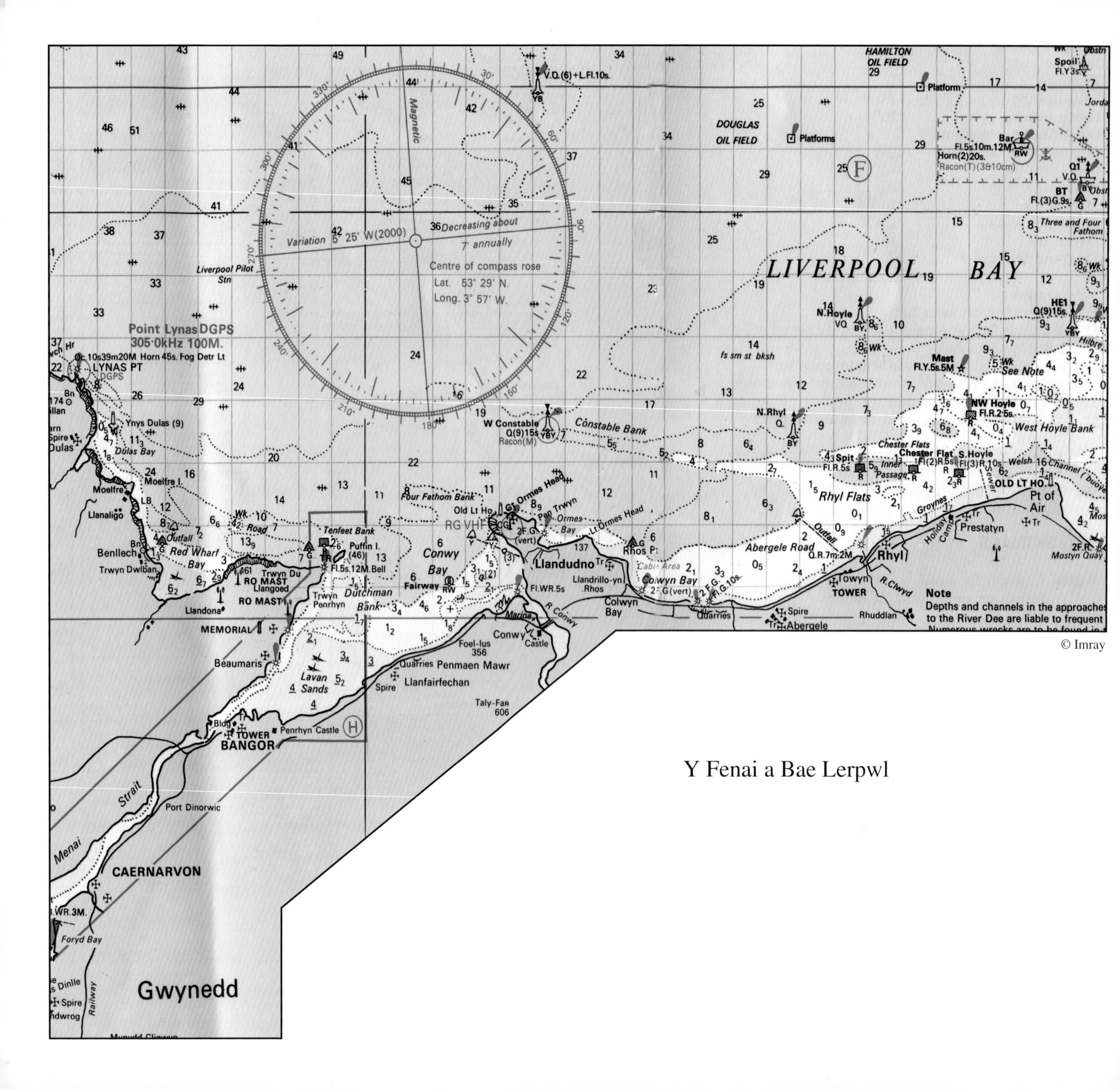

Y Fenai a Bae Lerpwl

Pwll Ceris i Benmon

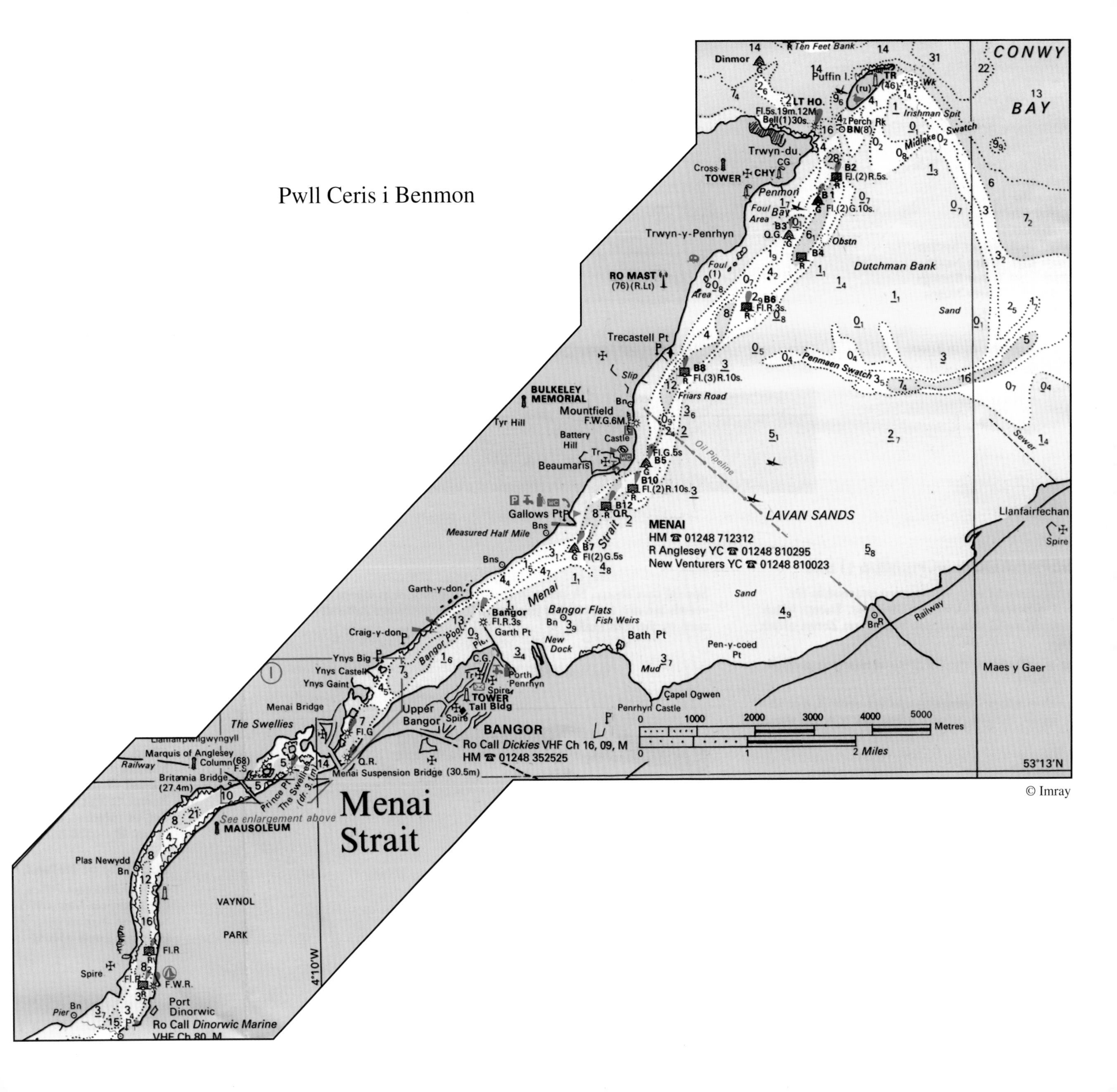